結婚前，結婚後

Marrige

成長與改變

任兆璋◎著

目錄

二 結婚後：經營愛與成長的舞台

〈推薦序〉

改變生命航向的舵手

歐陽吉章、楊梅玉

四分之一世紀之前，我們在華明認識了任修女，也是當我們在自己的婚姻泥沼中跌跌撞撞，辛苦的匍匐前進之際。想不到，從此與任修女結下了這一生不解之緣，由聽講的學生、輔導的個案、夫婦懇談及夫婦團契的義工、親職教育的講師，到躍升爲主內任修女的獨生女，至今，她已成了我們一家人永遠至愛的長輩親人，不可缺的精神導師。

在一九八五年我們移民美國之前，當時任修女給的話語是：「我十分不放心你們，我也會很捨不得你們將要受的苦，但我相信你們的潛能，必能在美國走出你們的路，那會是你們一生所追求的生命意義！」帶著她的話語，我們在美國闖盪多年，終至改變生命的航向，跟隨任修女的腳步，爲婚姻、家庭、人們的心靈重建服務。

這些年來，在專業的學術殿堂廢寢忘食的學習，雖然我十分珍視與感恩這段轉航的經驗，但眞正讓我念茲在茲長存我心的是：隨著歲月增長，面對任修女的尊敬與喜愛與日俱增，在她身上，我看到了一個修道人的眞、善、美、聖的高尚品格。

任修女從不虛僞的「眞」，曾讓我又愛又恨、又懼又敬！當她如照妖鏡般直指問題核心，令人無所遁形，但她那滿懷慈愛的瞭解與接納，在一次又一次或激動、或溫暖、或憐愛、或保護的擁抱中，流露無遺。

任修女的「善」，來自於她有一顆悲天憫人的心，四十餘年來，她全心全意地拯救一樁又一樁瀕臨破碎的婚姻，修補那被傷害得千穿百孔的無數心靈，數不盡的感恩、拜謝，日日夜夜由四面八方湧入，她將這一切全奉獻給她所服侍的天主。

猶記得第一次在中央大樓教室門口，見到任修女時心裡的觸動，這世上眞有像聖母般美麗的慈母，全身上下散發著慈祥的光輝，是這道極「美」的光吸引了我日後持續在華明出入。任修女眞是上主手中最美麗、最閃亮的一顆珍珠，教人怎能不愛她！

有一年母親節，我們陪任修女在美國參加華人旅行團，同遊的團友們旁觀任修女、我先生和我三人間的互動關係，忍不住爭相問我：「她到底是你的媽媽，還是你的婆婆？」我開玩笑地說：「你們看她像誰？」後來在遊覽車上，我們帶著大家唱：「母親像月亮……『聖』潔多麼慈祥……」大家才驚羨，我們有這麼個既「聖」又慈愛的修女媽媽。

這樣一位修女，又是台灣婚姻輔導的先軀，藉著個別諮商、團體輔導、各種訓練班、演講及著作，她陪伴著有緣有福的每個家庭、每對夫婦，行走這「無論環境順逆、貧賤富貴、疾病健康……」執志要攜手共此一生的婚姻之路。蒙福的您，別忘了汲取書中的智慧，誠心聆聽任修女苦口婆心的教誨，您的生命將會有改變，因爲她是改變生命航向的舵手，她領著有緣的您，往眞、善、美、聖的方向，去經營您一生一世的婚姻。

（本文作者爲美國洛杉磯家佳美滿協會〔Family Enrichment〕創辦人）

〈推薦序〉

不容錯過的好書

簡春安

任兆璋修女一直都是我最敬重的人之一，不只是因爲她是修女，愛人如己，虔誠敬神；不只是因爲她是從事家庭工作的前輩，累積了不少寶貴的經驗，可供輔導界的參考。

而是她對婚姻與家庭的態度，對婚姻與家庭的未來，充滿了信心；對問題的處理，充滿了智慧。

更是她對理論與實務的融會貫通，把輔導理論條分縷析的應用出來，把所面臨的個案，又帶到理論的架構裏。

《結婚前，結婚後》是本好書，文筆簡練，歸納清楚，可供實務界與學術界的參考。

我會推薦給我的學生閱讀，當然，我毫無保留的把這本書介紹給讀者。

（本文作者爲東海大學社工系教授）

〈作者序〉

當白雪公主遇到白馬王子

任兆璋

自從一九七五年開始「華明心理輔導中心」之後，又在一九九三年創辦「懷仁全人發展中心」。至今，我們的重點都放在預防勝過治療上，所以我們很早就開始了團體與個別的婚前輔導，直到目前仍在進行中。

婚姻問題是性格問題，性格與早年的成長背景有很大的關係。因此，婚前選擇配偶時，對自己與對方背景的認識，十分重要。這裡所談的背景是指艾瑞克森（Erik Erikson）所講的男女雙方是否已經自嬰兒期、幼兒期、學前期、學齡期的依賴而成長到青春期與成人期的自我肯定，情理整合，有獨立自主的能力，可以負責自己及另一個個體的福祉，而遵守終生相守的承諾。過去，國人在爲子女擇偶時，也注意到背景的門當戶對，但著重的是雙方家長的社會地位、家庭的貧富、二人的學識與相貌，很少注意到性格的成長。現在，年輕人自由戀愛，花前月下尋歡作樂，更不會想到性格與成長背景。

在我們輔導經驗中，年輕人在戀愛中正如《回歸內在》的作者約翰・布雷蕭（John Bradshaw）所說的：「雙方是兩個成年而未長大的孩子，兩個受傷的內在小孩都在伴侶身上看到了他或她的原始父母，因而都在另一半身上投注了超量的力量和尊敬，希望得到童年從未得到卻仍然渴望的父母照顧。婚後不久，他們就開始彼此提出要求，例如：被溺愛長大的長子、長孫丈夫會要對方經常以其為中心，甚至與自己的子女爭娘（老婆娘）；代替父親負全家責任的長子會要求配偶與他一起做全家的奴隸！要妻子長嫂如母，無法從原始家庭中分化出來，沒有兩人個別的婚姻生活；掌上明珠的長女太太會要先生如戀愛時那樣花前月下、浪漫度日；被愛不夠的小丫頭太太因童年的欠缺，會不斷的要求擁抱、撫摸，配偶不勝其煩，無力擁抱巨嬰。

有些時候，我們看到如薩提爾（Virginia Satir）所說的：兩個自我價值很低的男女，在戀愛中都保衛性的表現得很堅強，雙方都認為對方能補足自己的卑微，照管自己。當時雙方都感覺到對方在重視自己，覺得擁有對方，自己就圓滿了，雙方都沒有顯露自己的弱與個人的有限度！薩提爾很清楚的告訴我們，這樣的婚姻，只能維持到婚姻中出現的問題兩人皆無能解決時。這也就是：二個小孩結了婚，二人都無法負起成人的責任。

以上固然是專家與輔導人員見到的特例，可是，事實上，一般人選擇配偶，進入婚姻大都是對自己及對方認識不夠，沒有恰當的選擇標準，或在交往中雖感覺不對，也不知問題在哪裡，更不知如何表達，也就糊里糊塗的進入了婚姻，在婚姻路上前仆後繼，而孩子在父母關係欠佳的情況下，更無法健康成長。

再者：人們對情緒感受沒有瞭解與認識，情緒感受是過去背景的積極或消極反應，與現實無關。但一般人因爲沒有這方面的常識，把情緒感受看成事實，夫婦在婚姻中常糾纏不清，把童年的傷害重演在與配偶的婚姻關係中，把配偶視爲曾經傷害過他的父母來報復，無法現時現地與配偶親密相處。孩子在童年時一無所能，全得仰賴父母，把父母視作「神」，「神」在水深火熱中，孩子不但得不到被視爲「神」的父母之照顧，還要擔心他們相互傷害，害怕他們離異而沒有安全感，以致孩子在家庭中忙於平衡父母的關係，而缺乏人與人的關係，只能向外結交幫派，影響社會治安。

自一九七五年我們就開始舉辦了婚姻輔導團體，讓夫婦瞭解婚姻不是白雪公主遇到白馬王子，只要相愛，就可幸福一生了。婚姻也不是交易，你對我好，我就對你好。婚姻也不是商場上的競爭，兩性較量誰強誰弱。婚姻是成長的機會，是人要離開父母與配偶結爲一體；長成眞正獨立自主的男人與女人，培養可以互信、互諒、互助、接納、關愛、珍惜的關係。這是需要雙方花時間精力去經營培養的關係。在婚前要盡量認清自己與對方背景中帶來的優點與弱點；婚後要繼續瞭解自己與對方的習慣與傾向，學習溝通與相互扶持。在成長團體中，夫婦學習接納自己的限度與弱點，化解早年的傷害感受，肯定自我價值，才有力量接納、尊重雙方背景帶來的無能無奈，進而達到無論患難貧病都能支援對方的境遇，而享受美滿的婚姻。這樣的親密和諧關係，是需要長期的學習才能達成。有時，夫婦只有一方來參加這樣的團體，家庭中只要有一人開始成長、改變，就會帶動全家成長，提升婚姻生活的品質與內涵！可是，一人努力當然會比較困難與緩慢。社會的安定，完全仰賴幸福美滿的家庭，我們有鑑於此，特將多年來婚前準備與婚姻輔導的錄音，整理成文字以供社會大眾參考，俾能建立美滿的家庭。謝謝張老師出版社願爲我們出書，造福人群，亦謝謝把錄音帶整理成文字的義工們，朱雨婕、黃秀麗在百忙之中撥空聽寫以及羅慧茹不遺餘力的編輯初稿，願上天祝福大家！

二〇〇一年九月一日

Marriage

1 結婚前

眺望紅毯的那一端

你們交往多久了？

進行婚前輔導時，最重要的一個問題是：你們交往多久了？因爲結爲夫妻之後，要一起生活，就必須在婚前仔仔細細認識對方。如果缺少認識，後來會有很多失望的。這就像去商店買電鍋，要清楚電鍋可以煮十人份還是六人份的份量，否則買了可以煮六人份的電鍋，你卻要煮給十個人吃，這樣就會失望。

要跟一個人生活，如果不先瞭解對方，你除了會失望，同時也十分冒險。譬如有人說：「我們只交往八星期，現在就要論及婚嫁了。」他是來接受婚前輔導的。我們即使是他的父母，也沒有權利對他說：「你不可以結婚！」我們只能講：「我怕你很冒險。」來接受婚前輔導的主要目的是預防問題，我們可以清楚告訴他：「我很不放心，這樣做會十分冒險。」

所以，交往多久是重要的，但是多久見一次面，也很重要。

如果有人告訴你，他們已經交往六年，很好。可是你還必須進一步問：「這六年當中，你們多久見面一次？」如果這六年當中，只不過是每年放三天假的時候見面，而一年中放三天假的日子很少，那麼，交往六年的意義並不大。

除了交往多久之外，有沒有到對方家裡去過？是否和對方的家人相當熟悉？這一點也很重要。爲什麼我要這樣問？因爲沒有見過對方的家人也很冒險。一個人很難逃離他的背景，認識他的父母是怎麼樣的人很重要。你必須知道，現在跟他到家裡去，就是要跟他白頭偕老，所以你必須對他的家人有所認識，並不是想知道他家貧窮或富有，這個不重要；而是他的父母是不是很可靠的人？或是投機取巧的人？更深入一點還要問，你跟他家人來往的次數多不多？

兩個人既然交往，就要經常去對方家拜訪，對方也要經常來我家，相互瞭解，這樣冒的險比較少。婚前輔導主要是爲了預防問題，少冒一點險，免得以後失望。有時候我們並沒有辦法完全瞭解對方的家庭，要完全認識對方也是不可能的事。

有回一位外國神父告訴我，他回家度假時看見父母正在吵架，他母親對父親說：「三十五年了，我還是不認識你。」當時他的父母已經結婚三十五年了。

事實上，三十五年過去了，彼此還是有很多地方不認識，這也是眞的。現在要論及婚嫁的人交往沒那麼久，只能盡量去認識自己與對方。

任修女一番TALK

✤除了交往多久之外，有沒有到對方家裡去過？是否和對方的家人相當熟悉？這一點也很重要。

準備自己，瞭解對方

婚姻是成長的機會，夫婦的人格在婚姻中得到完全的發展，成爲眞正的男人和女人。婚前輔導的重心是：男女雙方要準備自己、瞭解對方，並學習容忍、接受自己與對方。瞭解十分重要，我們因瞭解而接納，才能彼此相愛與尊重。

這怎麼解釋呢？在每個人的背景裡，都有些不成熟的地方，這些不成熟的地方，有時候連自己也不是很清楚。所謂不成熟，可以說是受傷的一面。譬如有一位來接受婚前輔導的小姐說：「訂婚以後，未婚夫的情緒就開始很暴躁。」

在談戀愛的過程中，剛開始時大家偶爾見面，像客人一樣。訂婚後可以把對方帶回家了，比較有安全感，所以眞實面就流露出來。她說：「訂婚以後，他的情緒就比較強烈，容易發脾氣，比較暴躁。」

我回答：「這是一個很好的現象。」

為什麼是好現象？因為訂婚只不過是一個約定，不具法律效力，所以早一點把這一面流露出來，我們才可以決定能不能和這個人終身相守。如果結婚後才完全露出真面目，到時候不能接受，要離婚就比較麻煩。

此外，雙方如果沒吵過架，那還沒有資格結婚！為什麼？因為我們不知道吵架以後要不要和好、該如何和好。人不可能不吵架，吵架是強烈的溝通。

我曾經輔導過一個結婚四個月就要離婚的案例。先生是獨子，把人生看成一幅畫，第一次吵架他就翻臉，說這幅畫已經壞了，沒有迴轉的餘地。

因為他是獨子，從小要什麼，全家人就給他什麼，已經習慣了有求必應，突然間來了一個新娘子，把他當成普通人，會講「不行」。她一講不行，他偏不答應，雙方互不相讓就吵架了。先生說，我不要這樣的太太。因為他不習慣啊！他的習慣是：我要什麼，周圍的人就會給我什麼。

這位還處於新婚階段的新娘子就來找我談話，她當然很難過，可是看得很清楚：這個婚姻沒有辦法維持了。他們很快訂婚、結婚，婚前交往的時間不夠長，也沒有吵過架。談戀愛時大家客氣來客氣去，可是等到進入婚姻，真面目就出來了。所以我要說，要去經驗、瞭解一個人，就要去認識他的背景。

例如，女方跟她爸爸沒什麼話好講，那麼，她可能會怕先生，彼此也不會講很多話。所以從背景的角度看，我們不要說嫁錯人或娶錯人，而要說「親密包括隨便」。我一再強調，親密後雙方會感覺比較安全，因此就比較隨便了。

接受婚前輔導就是要認識、瞭解自己，然後不被這些傾向牽著走。背景會帶我往某個方向走，可是我可以走不同的方向。我要選擇、有意識地調整，這是婚前輔導的主要目的。

任修女一番TALK

✤雙方如果沒吵過架，那還沒有資格結婚！為什麼？因為我們不知道吵架以後要不要和好、該如何和好。人不可能不吵架，吵架是強烈的溝通。

有時候一些男生會說：「我的女朋友很黏人，經常要人陪。」我立刻問：「你覺得這個黏怎麼樣啊？」

「黏」是一個傾向，很多男生會說：「我被媽媽黏得受不了了，很不能接受。」

關鍵是當事人要很清楚，男方在童年時被母親黏得很受不了，所以這個傾向就是「他比較不能接受的地方」，而女方也要開始注意，儘量少黏他，因爲他早已被黏得受不了了。

當他們意識到這個傾向以後，兩個人就要開始調整自己，有時候要自己關照自己。這個有意識調整自己的「有意識」三個字，十分重要。想要黏人的一方，是早年這項需求沒有得到滿足的人，她必須「有意識」，主動知道這件事，同時自己去幫助自己，而不能一直靠黏配偶來得到滿足。男女交往，需要時時有意識去調整自己，這就是成長。

在中國人的傳統裡，婚姻是兩姓人家聯姻。原來兩家人可能已經是朋友，可是他們願意加深關係，就把兩家人的子女配在一起，變成親家以後，關係就更深了。這是中國人幾千年流傳下來的傳統，婚姻不單是兩個人的事情，而是兩家人的事，非常複雜。

西方人則認爲，婚姻是找一個伴侶。現在我們除了傳統之外，又吸收了西方文化，可是家人還不能接受這一對結婚的伴侶，又是公公、婆婆怎麼說，又是岳父、岳母怎麼說，非要把兩家人攪和在一起，因此引起了好多問題。

站在輔導者的立場來看，婚姻是成長的機會，是兩個人在相互接納與相愛的關係下，成長爲眞正的男人與女人。我們每個人，不論父母對我們多好，也許他們是眞正的心理學家，可是多多少少還是會傷害到我們，所以我們要繼續成長，從婚姻中治療過去所受的傷，成爲眞正的男人和女人。

任修女一番TALK

✤ 婚姻是成長的機會，是兩個人在相互接納與相愛的關係下，成長爲眞正的男人與女人。

結婚的理由

男女進入婚姻有很多種情況，不一定要對方是很特別的人，也可能是對方滿足了我的某個需要。也就是說，在成長過程中我沒有得到的需要，可以從對方得到。

有時候是我失戀了，爲了報復對方，我馬上抓一個人，這個人一示愛，立刻就把自己交出去，故意讓拋棄我的人看。你看，你不要我，還有人想要啊！所以失戀有時候也是促成迅速成婚的原因。

還有，如果幼年時被撫摸得不夠，一旦被人撫摸，就沒辦法說不啦！然後懷孕了，就必須結婚。

因此，如果年輕女孩懷孕了，我們不一定要鼓勵她從一而終，趕快嫁給對方，這一點要十分注意。當然我們也不要去左右她，勸她不要結婚，這都不是我們該做的。

　　我們要保持中立，也就是如果她想結婚，我們就要讓她體會結婚的後果是什麼。只是奉兒女之命結婚，我們兩人的關係還不夠成熟。因爲愛需要長期培養，不是認識幾個月就可以完成。兩個人要終生一起生活，需要有很深的瞭解，然後才能夠相輔相佐，你的弱點我可以接受，共同通過考驗。亦即，我們兩個人都有能力滿足自己的需要，並相互滿足對方的需求，在相互瞭解中牽手走人生的道路。人生的道路不是童話故事，公主、王子結婚後從此過著幸福快樂的日子，而是很坎坷的旅程。

　　在這個坎坷的旅程裡，需要長期培養攜手同行的默契，沒有一見鍾情的事情，愛需要經年累月培養，婚姻是不斷地走向更成熟，我們都必須清楚這些觀念，不是懷了孕就從一而終。

　　從一而終雖然是很好的傳統，但現在我們要讓她清楚體驗到，如果你奉孩子之命結婚，將來你對孩子不可能有平衡的心情，這樣對小孩也很不公平。如果生下孩子以後，能由另一個沒有孩子的家庭撫養，也許會對這個小孩比較公平。

因此雙方都要很清楚：現在結婚了，你的重點是什麼？有時候結婚是尋找一個代替父母的人，就是要對方做我的父母啦！這種結婚動機十分可怕，也很糟糕，因爲別人不可能把你當小孩看。

也有人同情對方可憐，因此嫁了或娶了一個殘障者。說不定你眞有愛心，而不是出於一時可憐的心情。如果是出於可憐的心情，對方被你可憐，他也沒有尊嚴。在婚姻生活裡，男性需要尊重，女性需要愛，這個不被尊重的婚姻，我們無法去救，因爲他沒有了尊嚴時，很難繼續維持婚姻生活。

我們要很清楚，對方的確沒有父母或是殘障、生病，確實值得同情、可

任修女一番TALK

✤兩個人要終生一起生活，需要有很深的瞭解，然後才能夠相輔相佐，你的弱點我可以接受，共同通過考驗。

憐，然而我是出於無條件的關愛。你這輩子什麼都不能給我，我也可以接受。

另外，還有一個結婚的理由是社會壓力。有時候是妹妹、弟弟先結婚了，或已經到達適婚年齡，每個人都說你該結婚，壓力很大；有時候則是我們成長到某個年齡，但沒辦法和別人建立關係，變得十分孤獨。這個孤獨與疏離，讓你沒辦法跟人建立親密的關係，親密關係需要長期培養，有能力爲另一個人犧牲，而且不會失掉自我，這是一個人需要的成長。如果你沒辦法跟別人友愛親密，是很難進入婚姻的。

在進行婚姻輔導時，我們要看某人結婚的動機在哪裡。有些是故意對抗父母，父母不喜歡這個女孩，好，我就偏要。很多來接受輔導的人都說，我本來沒想要嫁他或娶她，可是母親不同意我們在一起，所以我就偏要。

做父母的必須很清楚，如果子女結了婚，而離婚以後第二次婚姻才能夠順利，那麼我就讓他這麼做。這種「讓」是容許子女按照自己的樣子去成長，而且是對子女有信心，容許他可以歪歪扭扭地走，容許他可以亂七八糟，並相信有一天孩子可以步上正軌。

我常常講，寧可子女愈早犯錯愈好。已經訂了婚但不想結婚，沒關係；帖子都發出去了，怎麼辦？收回啊！這雖不是容易的事情，可是做父母的必須這樣去面對，免得以後子女生了孩子要你幫忙帶，因爲這裡面有你們的血肉在，你不忍心讓這個小嬰孩在外面流浪。所以，我們現在容許子女用任何方法去破壞自己的人生，也相信他有一天會走到正路上，這是一個信任。

還有一個結婚動機是：逃家。因爲家讓人很痛苦，想要找避風港，這時候結婚也不分青紅皀白，匆促行事。當我們瞭解了子女選擇對象的結婚動機後，有時候可能要有意無意說一句：「可不可以再等一段時間再結婚哦！」

做父母的也可以說：「我沒有反對你們結婚，但可不可以再多認識一段時

任修女一番TALK

✤ 親密關係需要長期培養，有能力爲另一個人犧牲，而且不會失掉自我，這是一個人需要的成長。

間，這樣說不定會更穩一點，而且你也可以多享受一下人生、多享受單身貴族的美啊！」

在這樣的情況下，你不是用反抗的態度阻止，而是用一種接納的態度勸說：「你們是不是可以再多認識一點，將來就不會那麼多失望。」

有時候我們認識對方不夠深，所以容易有很多幻想、很多期望，這些都不符合現實。

父母可以和孩子溝通：「認識清楚對方，你就沒有那麼多期望，也不會有那麼多失望，你很清楚對方有哪些缺點，如果他不改正這些缺點，也可以接受。那時候你再進入婚姻好不好？父母沒有意思要反對你，更不是要你不娶這位小姐、不嫁這位先生，主要是爲你著想。」父母打從心底都是爲了子女的前途，而不是「我家會丟人，別人會笑話我們，如果你們將來離婚，我們的臉要擺到哪裡去。」這樣一點用處都沒有，因爲孩子會說：「你們的臉沒辦法擺關我什麼事，我就是覺得這個人很好，要跟他結婚。」

如果這些談話拖到孩子選擇配偶時才說，那就沒有用了。這些談話是要在他想吃五杯冰淇淋時，你會說：「你這樣吃下去，媽媽很不放心哦！你拉肚子，媽媽會不捨得哦！」

有了這樣的經驗，你以後再講這些話，他比較能夠懂得，就是母親的內在很慌，在那裡不安、害怕，否則他不懂！所以，每個人必須很清楚自己的內在。如果自己沒有一個內在的生活，就很難帶領別人走向內在的生活。

任修女一番TALK

✤有時候我們不夠認識對方，所以容易有很多幻想、很多期望，這些都不符合現實。

可以陽剛，也可以溫柔

結婚前，年輕人就要參加很多活動，扭轉傳統的想法。婚姻是成長的機會，陰陽要同時成長。

所謂陰陽，就是男的陽性比較多，可是他也需要學習溫柔體貼；女性是比較柔，可是也要學習剛強的那一面。在工業社會，每個人都有機會落單，意外事件比較多，落單時，妳必須有陰又有陽。

傳統給我們的教育是，男生只發展陽剛那一面，沒機會發展溫柔的那一面。第一個孩子出生時，他都不好意思去抱孩子，不好意思說我已經是爸爸了。

女性懷孕經過九個多月的磨鍊，很自然能夠爲小生命負責任，並有某種程度的成長，願意爲另外的個體犧牲。

懷孕過程幫助了母親，讓女性得到很多成長；可是男性因為沒有經歷這個過程，所以還停留在自己。

柔能克剛，所以男性也要學習溫柔。等到經歷了整個人生成長的過程，男性到了五十歲以後，很可能喜歡留在家裡，比較溫柔的那一面出現了。有時候老來得子，他就十分愛護這個小孩，因為他溫柔的一面出來了。

他們很清楚體會到，人可以柔弱，柔的那一面可以出來，柔能克剛。我們不一定要堅持非得依照自己的意思不可，而是去瞭解上一代被壓迫的傷害。上一代女性被壓得很扁，現在好像輪到她騎在人家頭上，假設男性有這種同情的理解，也可以容許妻子。有時候讓妻子騎在丈夫頭上，然後她自己會發現：我怎麼莫名其妙壓倒了我的先生？

你不讓妻子自己發現，跟她講理一定講不通的。只有發現了自己裡面有某個力量，推我非在先生上面不可，這很可能是童年時父母把哥哥擺在第一位，也把弟弟擺在前面，所以那種不滿的心情會施加在配偶身上。

我們要瞭解，婚姻的意義是相輔相佐，你的缺陷我要幫忙，而不是去競爭。在這個時代裡永遠競爭不完，女強人太多了，也已經有太多男女的競爭，在婚姻生活裡，我們必須特別注意這件事，男女雙方才能成長。

任修女一番TALK

✤在工業社會，每個人都有機會落單，意外事件比較多，落單時，妳必須有陰又有陽。

如何選擇另一半？

很多太太來找我談話的時候，說：「修女，當年我並不是眞心要嫁給這個人，只不過是想逃離家庭，因爲家裡情況很糟糕。」

這樣婚姻就成了一個避難所。有時候你明明知道跟這個人結婚不很恰當，但是爲了逃離某些情境，事後反而造成更多問題。因此，我們必須明白，婚姻是一個成長的機會。

兩個人在以前的背景裡可能都受過傷。例如有些人把錢視爲安全的工具，我們知道了他的背景以後，就要很肯定，因爲有他這種人，我們就不怕缺少錢啊！留得青山在，不怕沒柴燒！我們利用這樣的機會成長，慢慢地，他就不會抓住錢死不放手。

如果我們喜歡佔人便宜、買特別便宜的東西，那麼我要回頭看一看，原來我小時候常常吃大虧，也受了好大的傷啊！難怪我這麼喜歡佔便宜。或者，在我整個人生的經驗裡，從來沒有比較好的機會去欣賞自己的成就，所以需要買些便宜的東西來滿足自己。又或者，我一直無法建立良好的人際關係，內在很缺乏，這時候就需要買些東西來高興一下。這就像有些父母不陪孩子，只會買很多玩具給小孩，可是這些玩具只能讓小孩短暫得到滿足。

一對男女戀愛，並不一定是對方有特別的地方，而是相互滿足了過去沒有滿足的需要。如果我們不是很肯定自我的人，選擇配偶時就會有很多期望與幻想。

有一對夫婦來談話，彼此鬧得很不愉快，兩個人早已忘掉當年之所以選擇彼此，一定是對方有某些特別可取的特質。我提醒他們，你選擇另一半的重點是什麼？我希望他們能重燃當時相互吸引時的熱情，讓已經破碎的婚姻重新開始。

有些接受輔導的人會說：「我很漂亮，他很醜。因爲他很醜，沒有人愛，我想他會因此特別憐惜我。」認定人家很醜就沒人要，這是外在認定。事實上，真正想好好選擇配偶的人，是選擇配偶的內在價值。至於外在的條件長得美或醜等等並不是人能夠控制和改變，那是與生俱來的。

這種情形是有實例的。有位太太來談話，她有三個孩子，第一個是女兒，第三個是兒子，她的先生對大女兒和小兒子都十分寶貝。不過，二女兒很令人煩惱。這位太太對三個孩子都一樣——她根本沒去照顧，都是先生在管。二女兒長得十分漂亮，現在出了問題。老大與老三在人生軌道上則走得很好、很順，雖然媽媽不照顧，可是有爸爸的愛和管教，爸爸也經常陪他們出去玩。

我問：「你怎麼知道他只照顧老大和老三。」

任修女一番TALK

✤一對男女戀愛，並不一定是對方有特別的地方，而是相互滿足了過去沒有滿足的需要。如果我們不是很肯定自我的人，選擇配偶時就會有很多期望與幻想。

她說：「每次過年回家，婆婆就罵兒子，你只管這兩個，沒有管老二。」

我發現在這位母親的背景裡就沒有人去注意她。現在她的孩子們出生在富有家庭，每個人都穿得很好，也有傭人幫忙把孩子的頭髮梳得很好，外人給二女兒的評語是：「你好可愛哦！衣服穿得好漂亮哦！你臉蛋也很漂亮哦！」這個女生長大了以後，雖然會做很多事情，卻整天在打扮自己。

等到她要選擇配偶時，很清楚自己沒有被愛夠，也不相信她是可愛的人，所以一直說：「我很漂亮，他醜，好像沒有人愛他，他就一定會珍惜我。」這是背景在影響她。

婚姻不是王子和公主回家就一輩子快快樂樂地生活，而是一段很坎坷的旅程，這些旅程都需要這個女孩有能力去面對。所謂的能力不是拿了一個大學文憑，而是能夠應付當前的困難，適應兩個人不同的生活方式，有時甚至要改變自己的生活習慣。因爲她以前就只會整天打扮啊！

可是這位女孩沒有能力調整，因爲成長過程中沒有人陪她，現在婚姻生活一蹋糊塗，兩個人到了沒愛沒恨、非常冷漠的地步！愛與恨靠得很近，如果他們接受輔導時還恨得要命，還很在意別人講的話，這個婚姻還是有希望的。如果是無所謂啦！他要走就走啊！那很可怕。

當事人對婚姻會有期望和幻想，所以我們必須問：你認爲家是什麼？愛是什麼？婚姻是什麼？你認爲標準丈夫是怎樣的人？兩個人碰在一起以後，可能從沒有比對一下彼此的定義，兩人的想法或許背道而馳。有的人比較重視整潔，認爲家應該整整齊齊，可以帶人來參觀、欣賞；有的人認爲家是可以隨便和放鬆的地方，一進門就可以把臭襪子、衣服一路脫進去。

兩個人觀念的差異需要在婚前、婚後互相瞭解，然後互相尊重。不是全聽

任修女一番TALK

✤兩個人觀念的差異需要在婚前、婚後互相瞭解，然後互相尊重。不是全聽你的，也不是全依我的，而是兩個人折衷，有共同的目標，然後逐漸靠近。

你的，也不是全依我的，而是兩個人折衷，有共同的目標，然後逐漸靠近。兩人一開始靠近，就會逐漸成長成熟，本來可能是太太要求整整齊齊，先生要求隨隨便便，到了兩人頭髮快白的時候，變成太太要求隨隨便便，先生要求整整齊齊。

有些太太說，小時候家裡很窮，國中時很喜歡交朋友，想帶同學來家裡玩，但是家裡亂七八糟，連傢俱都不整齊，沒辦法帶同學來。所以，將來有了自己的家，一定要把它布置得好好的，可以讓朋友隨時來。另一位說，母親有潔癖，地毯上都不能有一根線，一弄髒就要挨罵挨打。將來有了家，我要讓它可以隨便。這些想法、做法都和背景有關，夫妻之間必須坦誠分享後才能夠清楚，這樣才能相互靠近。

規範不是照你家的標準，也不是照我家的標準，我們兩個人要有共同的默契，互相尊重對方的感受。亦即我們不去改變對方，因爲我愛他，不願意他不舒服。

選擇配偶就是必須要問：如果對方一輩子不改，你能不能接受？能接受，你才能進入婚姻。有位太太說，當年我知道先生家連客廳也有一個櫃子可以掛衣服，家裡到處亂成一團，我想結婚後自己可以改變他。實際上，那只不過是一個小缺陷，先生還有其他優點。

從事輔導工作最重要的是和人在一起，陪伴他看見、體會、經驗到：現在自己做的是什麼？我們不是去教，而是讓他去經驗，這非常重要。

任修女一番TALK

✤ 選擇配偶就是必須要問：如果對方一輩子不改，你能不能接受？能接受，你才能進入婚姻。

來自父母婚姻的影響

有些家庭父親較弱、母親較強，母親在言談舉止間經常否定先生，潛移默化之下，家中的女孩無意中就受到影響。她整個童年看到的都是媽媽不屑爸爸。這樣的態度不是言教，而是潛移默化塑造的。孩子進入婚姻後會發現，自己竟然也對配偶有不屑之感。

一位女孩獨自來找我談話時，也說不出個所以然來，等到夫婦倆在一起時，雖然她在言語當中並沒有表達任何不屑，但就是能感覺到「我看不起你」的態度，眼睛一斜，好像很不屑先生，視線也沒有來往。

我就問她：「你媽媽是不是這樣看你爸爸的。」

她的身體很靈敏，眼淚馬上流出來了。她頭腦雖然不清楚這件事，但是意識到了，這個不屑是無意的，是潛移默化來的。知道了這件事以後，她就要有意識地去改變。

最麻煩的還是家庭暴力。如果父母有暴力行爲，一碰面兩人就吵成一團，甚至打人，這樣的暴力會形成我們的背景。有的孩子在很小的時候、甚至還未滿月就被父母打過，特別是父母當時人生不順遂，情緒很壞。新生兒很會哭，這是常有的事，如果孩子的父親有問題，就會打小嬰兒。小孩並沒有理智的記憶，可是身體有記憶，以後看到爸爸就像看見鬼一樣害怕。

在小孩成長過程中，看到父親要什麼我就趕快去做，不懂得打理自己裡面的情緒，造成他完全依照父親的標準，父親要的就是我要的，父親的行爲也是我的行爲，這樣你就不再打我了吧！害怕暴力是小孩的心情，雖然小孩認同了父親，等到長大以後，如果子女、太太不照他的意思做時，也學會了父親的那一套——暴力。

女性打人的例子可能比較少，可是時常採用言語暴力。有些來談話的太太說：「先生打我。」我就問：「他打你之前，你講了什麼話？」

我們沒辦法限制先生不打人，但是必須很清楚，要控制自己的言語，不能激怒或貶低他，讓他沒有尊嚴。先生講不過你，可能你講的是事實，但這個事實並不是他能夠把握的，因爲他也是一個在背景裡受傷的人，我們怎能貶他沒出息？大罵這個人已經完蛋了呢？

我們必須從自己的感受出發，而不是罵他這個人要不得。我們需要在言語上多加注意。你一定不喜歡先生或太太打你，那麼自己要注意，不要使用言語暴力。如果對方把握不住，即使你講得有理、也是事實，但他有背景裡的弱點，也一下子改不過來，把他逼到牆角，接下來他就要動手。

任修女一番TALK

✤自尊低的人有情緒的時候，言語就會很厲害、很兇。特別是進入婚姻後，以前父母對我這麼嚴，現在我再也不受任何人管轄了。所以我們必須在婚前清楚瞭解父母對自己婚姻的可能影響。

在談戀愛過程裡，我們還要注意被父母打過的女孩、男孩，自尊都比較低。通常，子女們期待父母視他爲寶貝或尊重他如客人，一般人是不會去打客人的。可是很多孩子唸高中時還可能挨父母的打，被挨打的孩子自尊就比較差。

自尊低的人有情緒的時候，言語就會很厲害、很兇。特別是進入婚姻後，以前父母對我這麼嚴，現在我再也不受任何人管轄了。所以我們必須在婚前清楚瞭解父母對自己婚姻的可能影響。

在成長過程裡，如果我沒有受到保護、關愛，看見對方也沒有人保護、關心，就會同病相憐。在婚姻生活裡，我們可能選擇我要另一半來保護的角色，那就是全部的依賴，或是角色相反，我要保護另一半！

我們常常可以看到，許多太太不斷去保護孩子和先生，這個保護就是不容許對方犯錯。即使先生今天要跟老闆開會，開會時要講什麼話？見到董事長要怎麼講？全要照太太的劇本，因爲太太不容許他出錯，就是我常講的back-seatdriver。先生在駕駛座開車，她坐在後座叫：「喂……要轉彎囉！喂！……

注意一下，旁邊有車來了。」

先生開車也許會有意外，那個意外可能不會很嚴重，可是你在後面叫，他要照自己的觀察去駕駛，又要聽你的，一分心就來個車禍，比他自己開車不留心而發生車禍的機率要大很多。

一個從小缺少照顧的先生，在人生旅途中，一定要錯很多次才能學習到東西啊！你在他旁邊，他錯了，你去瞭解、安撫他的心情就夠了，而不是要他一定不能犯錯。拿你事先編好的腳本出去，他可能練得很好，可是無法在開會或面見董事長時表現得跟你一樣，因為你們兩人的性格不同。這麼一來，他也許錯得很離譜，如果是他自己犯錯，可能還沒那麼離譜。這完全是背景在作祟，

任修女一番TALK

✤人需要被尊重，尊重就是接納、信任，而信任就是容許他照著自己的樣子去成長。

以前家人沒有保護你，婚後在先生身上看到了一個沒有被保護的自己，於是拚命去保護別人。其實你眞正要做的是，去陪伴那個一直沒有被保護、受傷的自我，而不是念念不忘要去保護別人、保護先生和孩子。

人需要尊重，尊重就是接納、信任，而信任就是容許他照著自己的樣子去成長。他的情況對你而言可能很離譜，可是我相信他錯了幾次以後就會慢慢調整過來。

婚姻到底是什麼？

婚姻到底是什麼？是一個關係。我們與人來往時，常常為了搞清楚是非對錯而糾纏不清。

夫妻之間不要為了浪不浪漫、木不木訥、能不能體會我的心情、瀟不瀟灑、能不能幹、聽不聽話而吵架。吵了架就失去了關係，若關係好，這些都不重要。這些問題也許反映我們的背景，比方說木訥的人常常是很有心的。

如果父母經常為了對錯而吵架，孩子就學會了他們的態度、習慣與人生的目標。我們不需要去解釋好壞，而是瞭解是不是因為這些傾向而破壞了夫妻關係。在關係上，調整方向最重要。

如果父母經常吵架，不妨回想一下小時候面對這樣的情況時，我的心情是什麼？是否想去平衡、去負他們的責任？或是成了我成長的阻力，無法把心思放在自己身上？這也造成日後進入婚姻一看到別人有情緒就會去負責任。其實，別人有情緒時要去瞭解、接納，而不是去負他的責任或想盡辦法讓他沒有情緒。

瞭解的方式是：問問他怎麼了？他有情緒並非就表示不愛我了。成人會體會對方的狀況或問題出在哪裡；小孩才會認爲父母吵架或不高興是因爲我。小孩自以爲是全能者，父親去世是我的錯，如果我乖一點，他就不會死。

喜歡吵架的父母，如果孩子做錯事時就不吵架，而去責備或處罰他，日後小孩就會做壞事，以轉移父母的注意力，讓他們不再吵架。

如果母親習慣忍氣呑聲，孩子會受傷。母親有外遇，孩子會亂來。唯有夫妻倆的關係協調，孩子才能完全發展潛能。孩子會學習父母的溝通模式。

人要離開父母和配偶結爲一體。我們要成爲一個情緒獨立的個體，分清楚父母與自我的界線，瞭解我和父母是不同的人。如果情緒上連結在一起，那麼我和別人仍是同一個個體，別人的情緒起伏就牽扯我的情緒；父母認爲我的配偶如何才能令他們滿意，我就認爲配偶應該如何。

夫妻是相互扶持到老的人，有事情時要共同商量做選擇，而不是被父母操縱。例如買房子要以配偶的想法、觀念爲主再參考父母的意見。瞭解對方的情緒就如同看見他在水溝裡，但是我不被扯下水溝。他生病了，我去關照他，但不是跟他一起生病。

當夫妻之間發生摩擦、有問題時，如果找父母介入婚姻就會搞壞了夫妻關係。

如果夫妻倆一直吵架，是否是要求配偶的關愛。問問自己是否當年父母沒有力量來關愛我，我就找一個配偶代替父母來愛我？

任修女一番TALK

✤在背景裡沒有得到足夠愛的人，要自己去滿足自己。不能要求配偶做父母，夫妻必須是平等的，不是經常要對方做父母的代理人，這就像捧一個巨嬰，沒有人抱得動。

配偶不是父母的翻版，不能要求他像自己的父母。如果不容許配偶做他自己，就是容不下這個人。

在背景裡沒有得到足夠愛的人，要自己去滿足自己。不能要求配偶做父母，夫妻必須是平等的，不是經常要對方做父母的代理人，這就像捧一個巨嬰，沒有人抱得動。正常的愛需要相互滿足，不是一面倒。如果在婚姻關係中一直做小孩，配偶會很累。要學會愛自己、做自己的父母、抱抱自己、買生日禮物給自己。

情緒是一種能力，我們怎麼對待自己就怎麼對待配偶。我們要對自己好，才能溫和地對待配偶。

家中姊妹眾多、排行又在中間的女孩，可能得到的愛並不多。爲了擁有一份完整的愛，她可以放棄前途和伴侶一起生活，渴望一份獨一無二的愛，不願有人來分享。

沒有被愛夠或欣賞夠的人，自己要多愛自己、欣賞自己。

如果父親很有權威，會打母親，那麼在這種環境長大的人也可能會打子女和太太，這種背景需要瞭解。瞭解才能更清楚什麼時候做什麼事，什麼時候用什麼方式溝通。比方說挨打的女人嘴巴都很兇，這種女人需要配偶幫忙，不要在言語上跟她過不去。講話要小心些，等事情過後再告訴她當時自己的情緒狀態。如果太太瞭解先生會動手，就要注意自己的言語。

要瞭解對方的弱點，這些弱點需要關懷。能夠面對自己軟弱的人才是眞正的強者，是個能愛人的人。

對待嘴巴厲害的人，當時要接納，事後要規勸。要爲自己的弱點道歉，別人看你態度軟化也就算了。夫妻要繼續談戀愛，不斷地瞭解對方。接納背景後才容易學習，如果用批判的態度就更不願意調整或改變了。

任修女一番TALK

✤ 沒有被愛夠或欣賞夠的人，自己要多愛自己、欣賞自己。

很多男人有大男人主義，總要別人聽他的。妻子可以選擇要聽先生的，做個小女人，經過選擇就可以很自在、沒有委屈，先生也覺得受到尊重。要不斷地告訴先生，我沒有要壓倒你，如果不小心傷了你，請你告訴我。這要很肯定自己的人才做得到。

在婚姻關係中誰比較尊貴並不重要，關係良好比較重要。如果彼此不尊重也不關懷，性生活就無法協調，心在一起才能協調。如果先生覺得沒有受到尊重，就會性無能，無法做自己。太太需要被愛，性方面才能表達出能力。

被愛過的人喜歡和人作伴，不會獨來獨往，會希望配偶陪伴或同行。如果喜歡獨來獨往，就要去瞭解自己。

男女大不同

婚姻成功在於兩性的相輔相成，不是競爭而是相互學習。男女是兩種完全不同的個體，我們進一步瞭解他們的差別在什麼地方：

男性	女性
1. 理智、講理論、認真、體格比較壯、比較穩。	情緒容易起伏、有事就哭哭啼啼、感覺多。
2. 講一句是一句、在字面上很認真、粗枝大葉。	講出去的話會改變，多半口是心非、注意細節。
3. 男性不是全面的，而是分段分節。例如一早起來心已經到辦公室了，問他要吃什麼？他的心已經被公事	女性是全面性的，她每分鐘都在上班，也每分鐘都想著先生、孩子。（太太就是老婆娘，先生希望下班後太

占滿。工作時忘了自己已婚，開會也忘了要打電話回家。男人除了呼吸就是光宗耀祖。	太就要在家，就好比娘不在，他就會心慌，所以他要你在。）
4.事業第一、家庭第二，賺錢養家就是愛太太。看到性感圖片就會性衝動。	事業第二、家庭第一。重溝通、要推心置腹、講情緒、注重精神生活，才能在性生活上活躍些。
5.男性說話較直接、簡單。（不要嫌棄先生的直截了當，指責他沒有大腦。如果婚姻中有一方感受到不被尊重，這個婚姻就很難維持。）	女性說話較囉唆、複雜，會轉彎。
6.男性面對挫折的能力比較差，這是與生俱來的。男性的性器官長在外面，一挑逗就可以有性行為。	女性要在面對挫折時做一個領導者，從婚前就應是領導者，就不會有婚前性行為。
7.對於愛的反應，來得快。（要學習等待太太，培養情緒，這如同一個	對於愛的反應，來得慢。

電腦程式，一定要照這個方向才能順利。）	
8.不喜歡表露情緒。（這需要學習，因為太太需要推心置腹。）	不喜歡表露身體。（要瞭解在先生面前可以做蕩婦。）
9.男性認為禮物是物質，錢交給太太，要買花妳自己可以買一打，但是對於女人來說每一朵花都是情。	女性認為禮物是情，很重要。

男女在身體、心理和家庭上的要求皆不同。男性陽剛、女性陰柔，要互相學習，多溝通交談，互相接納，容許對方可以是他本來的樣子。瞭解人性的異

任修女一番TALK

✤男性陽剛、女性陰柔，要互相學習，多溝通交談，互相接納，容許對方可以是他本來的樣子。

同才能相輔相成。瞭解先生的心情，先接納他，用感情來軟化他，才有改變的機會。和男性溝通要用一比五的方法，亦即表達一個負面的訊息，要用五個正面的肯定來談。

如果太太面對先生的失敗能夠將它視爲一個成長的過程，那麼先生也就覺得失敗沒有什麼。強者是可以面對自己內在黑暗面的人。男性要學習碰觸自己的內在，也可以有軟弱。倒在妻子身上哭一哭，可以讓這個弱出來。

夫妻是合夥人，地位平等，如同右手不能說什麼是左手做的，什麼又是右手做的，而是一起做的，所以夫妻是一體。

情緒感受與婚姻

感受是我們對過去經驗積極或消極的內在反應。當我們看見或聽到一件事時，若出現莫名的感受，那就是碰觸到過去的經驗了。這可能沒有記憶，也可能有記憶。

我們可能在經驗的當時沒有流淚、沒有處理情緒，再碰到時就會流淚。其實身體本身可以處理這些情緒。哭或笑就是身體處理情緒的方法。情緒是每天都要處理的。壓力大、挫折大時，適應力就小。我們要像照顧嬰兒一樣照顧自己。能量差的時候，大叫一下，對自己好一點。

背景不同，感受就不同。感受是一個力量，推動我去吵架或表達，感受被瞭解和接納才能化解不快，否則很容易有衝突。例如太太第三次開刀，心裡仍十分害怕，先生不瞭解，認爲有了前面兩次經驗還有什麼好怕的？如果先生同理太太，就會說：「寶貝，我知道，就算你已經有經驗，仍是很害怕的。」在婚姻中要瞭解對方表現出來的喜怒哀樂，絕對不要去批評。

婚姻關係要知己知彼、心靈溝通，讓伴侶瞭解我內在的反應。如果自己的背景裡沒有被愛夠，覺得缺少父愛或母愛，要先瞭解自己的狀況。沒有得到足夠的愛就仍停留在嬰兒的需求層次，每分每秒都要被愛，然而這些需要必須靠自己去滿足、自己負責任。感受需要化解、疏導，身心才可健康。

在婚姻生活中如果報喜不報憂，自己一個人負擔，太太感覺到了，就會更擔心。溝通是爲了化解情緒，不是要對方幫忙。當我們被憐惜、被捨不得時，情緒才能鬆。夫妻關係好的時候，心連得很緊。如果不說出自己的意圖，心裡猜測反而消耗得更厲害。

夫妻意見不同時，不是不敢有反應，而是關係比較重要。如果能夠用成人的心情去看事情，錯了就認錯，當一方柔軟下來，就沒有什麼好說下去的了。下次也許他就聽你的。

每天花一段時間和伴侶談話，太太會覺得被聆聽就是被愛。

每個人的內在天秤

每個人出生時只有感受，沒有理智，所以別人對我們的評語和感受就成爲自我的價值。

假如一個家庭裡有很多女兒，覺得再來一個女兒很累贅，孩子就會受到影響，覺得自己沒有價值、自卑或自認是個賠錢貨。

如果父母在小孩出生時財源廣進，就認爲這個孩子很有價值；或者父母看小孩長得漂亮就視爲寶貝，這都會形成孩子的自我觀念，以後會從周圍人的反應來自我評價。

一個人長得不好看，但是很有愛心，這也是有價值的。但是愛心在小時候是不被看見的，如果夫妻都沒有正確的價值觀，兩個成人把污染帶入生活，心情都很低落，於是很在意別人怎麼看我。評價高的人很清楚自己從小就是寶貝，所以不在意婆婆、先生對我好不好。

此外，長子、長孫亦有這一類問題，如果一個人生活上處處有人關照，沒有培養出獨立的能力，這是一種優越感。優越感等於自卑，但不是自我肯定，因爲什麼都靠父母、兄弟姊妹，自己裡面很空，溺愛太多就無法獨立自主。

自卑的人當別人沒有反應時就很慌，就算自己有能力也感覺不到。優越感和自卑的心情是相同的。

在婚姻生活中，有些人想讓大家點頭，認爲你很好；如果公婆不肯定，就以爲自己不好。其實在工業社會中，公婆也在看媳婦是否歡迎他們，也在等著被肯定。如果夫妻或婆媳兩邊都不肯定，彼此就會很煎熬。

在成長過程中，如果父母告訴我們：你可以有某些地方不夠好，但也有好的地方。那麼你就瞭解到，人可以有強有弱，看到別人比我好也不會害怕。

如果父母要我們十全十美，有一點不完美就不行。父母的價值觀常常讓孩子受到污染。因此我們要仔細想想自己，我的內在有沒有一個天秤？如果有，要清楚自己的優、缺點，並和別人建立平等的關係。相對地，上下的關係則是主權在人家手中，是「我要符合你，別人怎麼說我，我就是怎樣的人。」久而久之，不知道自己是什麼人，於是情緒會很滿，評價在別人手裡，心裡總是上上下下，內在很空，十分煎熬。

情緒滿時，性情會很暴躁，要壓倒別人，不尊重別人。不肯定自己的人才要占上風。

當我們互相瞭解背景之後，如果自己比較有力量，就可以選擇讓對方占上風，用憐惜的心情、有意識地把對方放得高高的，捧在上面經常尊重他，讓他有一個新經驗，可以在婚姻中成長，做個不一樣的人。

任修女一番TALK

✤ 在成長過程中，如果父母告訴我們：你可以有某些地方不夠好，但也有好的地方。那麼你就瞭解到，人可以有強有弱，看到別人比我好也不會害怕。

通常一個人經驗到什麼，反應出來的就是什麼。如何被對待，就如何待人。

在被批評的環境中長大的人，就學會批評。

在被挑剔的環境中長大的人，就學會挑剔。

在被讚美的環境中長大的人，就學會讚美。

在甜蜜與接納的環境中長大的人，也學會了待人甜蜜與接納他人。

而且，如果是被別人討厭的人，我也會討厭他人。

如果父母心中有討厭孩子的感覺，就算不表現出來，小孩仍會經驗到這樣的感覺。父母需要找專業諮商人員來化解這樣的感覺。如果你不喜歡配偶某些表現，但沒有表達出來，看到孩子有相同情況時，情緒就會轉移到孩子身上。

肯定的人不必十全十美，也不必凡事做到別人沒話說。肯定的人可以錯，也可以拒絕別人，不用討好人，或是看到別人有一點好，就以爲全都好。

一直要求別人成長是自己的問題。不必替他人煩惱、擔心，自己要先學習成長。

正確的婚姻觀

觀念帶給我們情緒。不正確的觀念帶來消極的心情，會讓我們過不去、談不通，情侶或夫妻無法靠近。

婚姻是兩個人攜手不斷地成長，學習更愛自己和別人。你可以有弱點，我也可以有軟弱，每天修正我們的弱點，這才是婚姻。

傳宗接代只是婚姻中的一小部分。婚姻生活要互相尊重，女人常理所當然地認爲丈夫要愛自己，其實兩個人都需要被愛，我要愛另一半，也要得到另一半的愛。

婚姻是相互的，經濟狀況是兩個人的責任。「賺錢是男人的事」、「男人要賺得比較多」都是迷思。如果女人賺得比較多就自以爲了不起，這也是迷思。

中國四、五千年來的歷史都是把男人放在前面，因此女人要特別注意，男人要的是尊重。

有了正確的觀念，兩人才能一起走人生的道路。戀愛可以重新談、繼續談，夫妻可以重新靠近。

把男人擺正，女人才有好日子過。觀念要正確，夫妻要相互滿足並尊重對方的需要。

婚姻是一個承諾，是一個決定，愛不是一個感受。所謂決定就是在結婚時承諾與對方終身相守，無論貧病患難都願意支援對方。

眞正的婚姻是雙方在內心深處都有一份「誠」，那是結婚後第一天就算伴侶不幸成爲植物人，也都可以完成婚姻的承諾，守著對方。

從出生順序看婚姻

人際關係的基礎在家庭，特別是與兄弟姊妹相處的經驗讓人獲益良多。我們從吵鬧中學習並發現別人和自己的弱點。人際關係就是建立在他人可以有弱點，我也可以有弱點；他有限度，我也有限度。獨子從沒有與手足吵吵鬧鬧的機會，因此也失去了很多成長的契機。

人出生後凡事靠父母，所以視父母爲神，也視自己爲神，因爲自己比神還厲害，一哭就有人來照顧，可以命令神。我一哭父母就來照顧，是因爲他們接受我的軟弱，包容我、愛我，但與兄弟姊妹爭吵時常是不講理的。在家裡年紀小的孩子不講理，大的就讓一點。這是年紀大的孩子情緒較成熟。成熟的人不單是理智成熟，情緒也需要成熟。

發脾氣的人自己會意識到，自覺理虧就會發現自己的弱點和有限。當哥哥、姊姊容忍我時，我會感覺自己錯了。在婚姻中，男人通常是不認錯的，但是會在別處補償。

只是，以前的人願意忍讓一下，現在的人則互不相讓，所以離婚率節節上升。

一般而言，家中排行老大的人享有爺爺、奶奶給的特權，他習以爲常，認爲每個人都該讓我。這個習慣就像嫁妝一起帶入婚姻，認爲我來了，你們都要讓我三分。這種人在人際關係的根基上沒有瞭解與認識，所以另一半要懂得瞭解對方的背景與習慣。

相愛的家庭會包容與忍讓，會少說些對方不喜歡的事，照顧這個比較弱的人。

老么比較沒有人陪，每個人都管他，他自覺沒有尊嚴，婚後會有兩個傾向：一、任何人都別管他；二、等別人來指責。父母生到老么時已經累了，沒有力量了，因爲父母陪伴得少，缺乏與人建立足夠的關係。老么婚後可能不斷地回娘家，黏住父母，因爲沒有得到滿足。當我們意識到這一點就要調整，要去建立夫妻之間的關係。有些人父母生病了，即使兄弟姊妹眾多，仍堅持獨自一人接回父母同住，讓妻子一人照顧。其實父母是大家的，應該可以輪流照顧。

排行中間的孩子很能獨立自主，習慣獨來獨往、我行我素，因爲父母來不及管那麼多。進入婚姻後，他常常忘了關心配偶，做事不聲不響，也不和對方說一聲。當我們意識到這些情況，要多和配偶溝通，以達相互的瞭解與接納。

任修女一番TALK

✤相愛的家庭會包容與忍讓，會少說些對方不喜歡的事，照顧這個比較弱的人。

檢視你的金錢價值觀

金錢在婚姻生活中佔有很重要的地位，這不僅是怎麼賺、怎麼用的問題，而是夫婦雙方運用金錢追求什麼價值來滿足自己。

每個人在進入婚姻前，已經在原生家庭——特別是從父母那裡——學了很多有關金錢的價值觀。如果父母是很不能自我肯定的人，就會覺得金錢特別重要，能賺很多錢才有地位。

一般而言，如果童年時和父母一直有精神與感情的交流，父母很關心孩子的感受，孩子長大後就不會那麼重視物質和金錢。

如果爸爸控制慾很強：只要聽話就多給小孩一點錢。經過潛移默化，小孩就認爲錢是控制人的工具。

結婚後最好能做預算。多少錢花在什麼地方？多少錢是伙食費？多少錢要儲蓄起來？有些夫婦就是把錢花光了才想要儲蓄，這很糟糕。錢花光了會覺得不安，不夠用時又引起口角。雖然做預算不見得可以保障生活，最主要的目的是溝通兩人的用錢習慣與態度。至於婚後由哪一方管錢？該怎樣決定用錢？這也是一種溝通，夫婦倆要坐下來談一談，並在協調中互相接納，感覺到被愛與安全感，雙方就可逐漸成長。

許多人的金錢價值觀受到原生家庭的影響，有些家庭要儲蓄、要安全感；有些家庭則認爲人生要享受。有的人揮霍，表現自己，用錢買別人的尊重；有些人買名牌，讓別人知道我很有錢，用錢來證明我的價值；有些人心情不好，用錢讓自己情緒好轉；有些人則樂於施捨，是大慈善家；有些人用錢控制別人，用錢買性關係……。檢視一下自己的價值觀，另一半和我有何差異？過去是否有傷害？還停留在哪裡？

一個人小時候受過傷害，就會把錢抓得很緊。

太太要尊重先生，而不要因爲錢影響彼此的關係。要把對方擺在前面，這是出於愛。

依賴與共生

一個人在嬰兒期、幼兒期、遊樂期或學齡期被陪伴得不夠，那麼他獨立自主、自我負責、滿足自己需要、自動自發，以及自我給予的能力就不可能發展完全。這種人進入婚姻後，就會找一個人來代替父母，繼續管理他沒有發展完成的缺陷。

心理學家艾瑞克・柏恩（Eric Berne）認爲，基本生理需求沒有得到滿足的人，結婚無法解決他的問題，也沒辦法帶給他快樂。這主要是因爲他進入婚姻時已經是一個成人，配偶不可能把他當嬰兒，無時無刻給予關照。

其實，期待無時無刻得到關照是不假外求的，必須通過很多學習與活動，例如：回歸赤子心，才能自行滿足需求，並滿足童年時欠缺的情感，學習改變自己的生活方式。

有些人可能童年時沒有得到良好的關照，不容許有自己的感受，小嬰兒即使還未滿月也不可以哭，絕對不容許消極的感受跑出來。事實上，小孩哭是因爲不被大人瞭解，需要用哭來表達他的傷感。身體本身能夠用哭和笑來處理情緒，所以小孩需要坦然地哭、坦然地笑，把情緒表達出來，才能安然通過傷害。

可是在一個缺乏愛的家庭裡，不容許消極的情緒出來，這些沒有出路的消極情緒被壓在內心裡，整個人內在的喜樂和尊嚴都無法流露出來了。很多來找我談話的人都說自己感覺不到快樂，他們問：「快樂是什麼？」這主要是因爲消極情緒壓抑太多。

需要被關照的依賴心情要自己去滿足，否則變成要依賴家人、父母了。

譬如說有一個家庭裡爸爸是賭鬼，媽媽和五個孩子一天到晚就盯著爸爸，好像如果爸爸今天不賭，我們全家就會生活得很好。大家一天到晚睜著雙眼看，他們都沒有去體會無論爸爸是不是賭鬼，只要我們五個孩子和媽媽好好生活就可以了。

這就好像一家人要生存，就只在乎這棵大樹不能賭；只要大樹活著，那些附著在它身上的生物才得以生存，否則這些附著的生物都會死掉，這就叫做共生。

當這些孩子進入婚姻後，都會外在取向的要求他人。他們沒辦法說：「我自己可以努力，做我自己，然後我一樣可以生存得很好。你儘管去賭，賭死都可以。」這位母親如果夠成熟，就要讓孩子們體會我們自己可以獨立自主，爸爸可以自行決定要不要賭。我們六個人會好好過生活，我們有獨立自主的能力，不和他共生，即便你賭死了，我們還是可以活下去。

從共生家庭出來的孩子，結婚後就天天睜著眼睛看，如果今天丈夫回家沒

任修女一番TALK

✤需要被關照的依賴心情要自己去滿足，否則變成要依賴家人、父母了。

有罵人，我就可以平安無事生活。否則他一開罵，我就被帶到陰溝裡去了。

如果今天先生一進門就開罵，即使地毯真的很亂，可是他罵人的程度已經超過地毯很亂的情況了，這時自己要十分肯定。我們的內在要有自己的天秤，你跳得過高時，我很清楚那是你的問題。

可是很多人說：「他跳得那麼高，我當然受不了啦！」

其實，你要弄清楚他愈是跳得高，問題愈是在他而不在你。這種肯定要很清楚，不必和他共生，你要獨立自主。

先做一個獨立成熟的人

所謂「獨立」是情感上的獨立，不是指經濟上的獨立。獨立就是我的情緒要和伴侶的情緒分開。假如自己是個獨立的人，伴侶今天爲了美金貶値而情緒低落，我很清楚這與自己無關，亦即我不被伴侶帶到情緒低的地方去。我會照顧你的情緒，而不是也跟你一樣情緒低落。

獨立也是指情侶或夫妻是兩個不同的人，一方不被另一方牽著走。這個獨立的我是一個能夠自給自足、自動自發、勤奮努力、發展一技之長、角色上能自我統整，也可以去負責另一個人的福利的人。人能夠負責另一個人的福利，爲另一個人犧牲，這是人類最偉大崇高的方向。

人長大了以後，和父母的關係是平等的。平等並不是說可以不尊重別人了。跟父母的關係如此，跟情侶或配偶相處也一樣。

譬如某戶人家兄弟姊妹很多，如果他們一天到晚競爭，父母也常常拿他們比來比去，他們很自然就會帶著與人比較、競爭的心情進入婚姻。

許多原生的創傷是來自於我們與兄弟姊妹的關係。照理說，兄弟姊妹是互相支援、相輔相佐的，你的長處剛好彌補我的短處，而不是「你比我好、我比你差，所以我想贏你」的關係。

一個受傷的人常常把好與壞、對與錯用二分法分開，並將好壞、對錯、合理和不合理看得很重要。成熟的人看到每個人的內在都有好、有壞，有對也有錯，兩面都有，不是二分法。

所以我們必須知道，每個人都有強的一面，也有弱的一面；有優點，也有缺點。進入婚姻後，我們必須有容忍、有愛、也有恨；我可以愛，也可以恨。如果不清楚這些觀念，婚姻遲早會有很大的問題。

採用二分法看事情的人，大部分都是早年受了很重的傷，不是黑就是白，不是對就是錯，不是好就是壞，不是強就是弱。沒有灰色地帶，沒有彈性。

其實，婚姻生活中最重要的就是兩人的關係，好壞和對錯不重要。爲了好、爲了對，我們吵了一架，把關係吵壞了，然後準備離婚，這又何苦？我們必須明瞭，人是消極、積極兩面都有的。

任修女一番TALK

✤這個獨立的我是一個能夠自給自足、自動自發、勤奮努力、發展一技之長、角色上能自我統整，也可以去負責另一個人的福利的人。人能夠負責另一個人的福利，爲另一個人犧牲，這是人類最偉大崇高的方向。

同理心的溝通

和人溝通時，你比較常用什麼方式？大部分人採用父母的方式，責備比較多，也有人喜歡討好別人或用電腦來溝通。在此我們要強調一種同等地位的溝通，就是「同理心的溝通」。

同理心的溝通就是我要去體會你的心情，和你一起體會你的內在，而不是站在自己的立場，我感覺怎麼樣，你也要跟我一樣。

此外，你最好瞭解父母的婚姻狀況。有些母親很不尊重父親，母親很強悍，把先生看得很低，女兒就學會了母親的輕視異性。

和這樣的女性談話，忽然間我會點出來：「看你的樣子，好像很不尊重你先生。」

「我哪有？」她沒有意識到。

「你父母的關係怎麼樣啊？」

「我母親眞的很看不起父親。」

「你看看你有沒有學會？」

「我無意中學會了母親對父親的態度。」

她發現了以後，就很快去調整。

還有一位女士來談話，說她父親遺棄了母親，母親很辛苦帶大五個孩子，對所有女兒說：「你們一定要強喲！要是不強的話，有一天先生跑了，妳就沒辦法活了。」

她其實是在說她自己，可是這些女兒收到的訊息是「我必須要強！」這位女士的先生看起來很溫和，很會關心人，但這位女士劈頭就把他罵得一文不值，先生一聲不響任由她罵。然後我說了：「這位太太，你父母的婚姻怎麼樣？」

這樣一問，她馬上就哭了。

「你這樣罵先生，跟你父母有沒有什麼關係啊？」

哭了以後，她反省了半天，說：「母親經常要我強，在婚姻早期，不論他是什麼才子、多麼好的丈夫，我都沒辦法信任他，主要是因爲我總覺得自己要比他強，所以一直和他競爭。」

在這個競爭關係裡，除了先生沒辦法和她相處外，性生活也不協調。當一個人和配偶有競爭的心情時，性生活就沒辦法自然流露眞情，很難把自己交托給對方。顯露出「我要比你行」的態度，性生活就完全被污染了。

性生活就是雙方在精神、情緒上關係很好，很自然地把自己交給對方，整個人都是爲對方，性生活也才能達到創造性的效果。房事完了以後，兩個人的心情都十分開朗，有很多創造相愛的心情，否則又競爭了一場，結果兩敗俱

任修女一番TALK

✤如果父母關係不睦，有隱藏的怒火或呈現敵對態度，就一定會影響自己的婚姻。

傷。

如果父母關係不睦，有隱藏的怒火或呈現敵對態度，就一定會影響自己的婚姻，很主觀地認定男人都不值得信任或女人都是卑微的。把這樣的態度帶到婚姻裡，兩個人的關係不可能協調，影響最大的一定是性生活和人際關係。

肯定自我價值

我們是否覺得，別人的行爲常針對自己而來？我們是以自衛或坦誠的方式與人交往？是否潛意識希望別人很肯定我們，以提高自我的價值？

進入婚姻以前，如果我們沒有一個很大、很強烈的自我肯定，就會以面貌漂不漂亮、有沒有學問、會不會講英語、是不是電腦高手等外在事物來衡量自己。

當我們用這些標準來衡量自己時，就是十分不肯定、不滿意自己。因此，當別人表現出任何行爲時，都可能會被解釋成看不起自己。

有位太太來找我談話，她說：「婆家有四位媳婦，不是碩士就是學士，只有我沒有大學畢業，所以他們家的人看不起我。」

我問：「他們怎麼看不起你？」

「大嫂有碩士學位，她回家時大家都站起來招待，我回家卻沒人理我。」

「怎樣叫做沒有人理？」

「有一次吃飯時大嫂回來，每個人都站起來招待她。」

「那你是不是吃飯時回家，沒人理你呢？」

「不是！我是在大家看電視的時候回去，進門時都沒人理我。」

吃飯時大家當然要站起來，空出一個位置招呼，而她是在家人看電視時進來，如果節目很好看，大家的注意力當然都集中在電視螢幕上，就不會注意她了。

當我們不夠自我肯定時，常把別人的行爲看成是看不起自己。我們每個人要想一想：我有沒有把別人的行爲當成是針對我的價值而來？我是以自我保護或坦誠的方式與人交往？見面時客氣來客氣去，把最好的一面給人家看？還是可以很坦誠地表現自己？

要娶一位媳婦進門，婆家一定考慮再三。這位太太雖然沒有大學畢業，但她一定有某個特質是他們喜歡的，這就要自我肯定。雖然沒有大學畢業，有什麼關係，我的某個特質被人看上了。

有些先生覺得自己家裡窮，太太家比較有錢，就很自卑。女孩知道你家窮，還要嫁你，主要是選你這個人而不是選錢。你十分可靠，女方家人欣賞你的人格特質，所以必須肯定自己，不要一開口就說：「他們看不起我，因爲我家裡窮。」

這是自己看不起自己，自己心裡有鬼。我們必須很清楚、很肯定自己的價值。

任修女一番TALK

✤進入婚姻以前，如果我們沒有一個很大、很強烈的自我肯定，就會以面貌漂不漂亮、有沒有學問、會不會講英語、是不是電腦高手等外在事物來衡量自己。

家庭中的人際關係

進入婚姻時，男方必須告訴女方：「我跟大姊的關係很不好，我們經常吵架。」

他必須讓新娘知道，如果大姊斜眼看她，這是大姊跟先生之間的關係，與她無關，否則進入這個家庭後會很受不了。

同樣地，女方也要告訴男方：「我弟弟是個不爭氣的人，常常跟人要錢。如果他向你要錢，你可以不給。」

這些都需要及早交待清楚。

有一對夫妻來找我談話，這位太太很受不了老祖母每次來家裡都想要霸占先生，先生幾乎用所有時間來陪伴。我們談完話之後，就很清楚祖母和她先生的特別關係。

當年她先生讀師大並不需要繳學費，但求學還是需要一些零用錢。這位先生家裡比較窮，老祖母就幫人洗衣服，賺來的錢供他當零用錢。所以老祖母來訪時，先生自然多花些時間在她身上。這些事情我們都要向配偶清楚說明。

有位先生想娶一位小姐，家人很反對。這位先生很不認同：「什麼門不當戶不對，我們倆的關係很好，當然可以結婚！」不過，這時女方必須知道男方家人為何反對？站在什麼立場反對？同時也要寬宏大量，不去追究以前的是非。女方要是肚量很小的話，就會記仇。這位小姐來談話時，我就說：「你沒有必要記仇，因為不管他的家人怎麼反對，結果你還是進了他家的門，你勝利了，對不對？」

男方家人的反對並沒有發生效果，所以我們要容許別人可以有感受，這位先生也可以有感受，並且把意見提供出來。可是如果女方不知情，以為先生當初也有反對意見，而她又要記恨，事情就糾纏不清了，甚至一輩子都記得先生曾經不要自己。如果女方早年曾有被遺棄的經驗，那這一關可能就過不去了。如果沒有這樣的經驗，她要容許別人可以有自己的感受。

如何和權威建立新關係？

每個人進入婚姻之前，都跟權威有很深的背景關係：或者你害怕權威，看到權威就躲開；也許很願意靠近權威，很喜歡去滿足權威的需要。這些都是你在童年的背景裡就已經有的經驗。

我們小時候把父母視爲神，權威就是神，從來不可以錯的。我們之所以不能原諒父母，主要在於父母是神，怎麼可以錯呢？父母有錯，我當然不能原諒。

首先，我們要體會到父母也是普通人。人是有限的，因爲這個限度，父母的行爲有可能傷害我，雖然傷了我，我不舒服，可是我容許（這是原諒），因爲人是有限度的。但是原諒了父母以後，並不能說他們的行爲就是對的！我們可以不喜歡父母的行爲，卻不可以不尊重他們。他們跟我一樣是普通人，也受過父母的傷害，那是世世代代傳下來的傷。

換句話說，我容許父母可以有限度，但是不能接受他們的錯誤行爲，以後這個行爲再出現時，我還是會表達不悅。但是，我還是尊重、關愛父母，可以原諒他們。這就是和權威的新關係。

當母親不斷叨唸：「男做女工，愈做愈窮。」我可以容許她唸，並決定自己要不要接受。我是一個成人，瞭解這是母親的背景，於是說：「媽媽，好啊！我儘量照您的意思。」

「儘量」的意思是太太需要我幫忙時，我當然去幫忙啊！而且我所謂的「儘量」，就是儘量滿足母親和妻子的需求。

有些先生會跟太太說：「我會幫你做家事，可是過年回家三天時我不做，因爲只回去三天，何必在母親面前大打出手或吵上一架，而是說：「媽媽因爲要讓媽媽滿意啊！」

你不要我幫她，可以啊！」

然後我跟太太講明：「那三天我不管你了！」

這時候你也只能儘量，太太要罵，你也認了！

對權威的反應與關係的轉移，就是我們不再把跟父母過不去的地方，全都轉移到配偶身上，要配偶做自己的父母。

在婆媳關係中，有些婆婆的確是問題母親，我們可以幫忙夾在婆媳中間的男士，去跟未婚妻或太太說清楚。

不要說：「很抱歉，媽媽在這些地方的確很不成熟，所以大嫂和二嫂都不願意跟她住。」

更不可以說：「不要理她嘛！她就是這個樣子！管她做什麼，我沒有說你

任修女一番TALK

✤ 對權威的反應與關係的轉移，就是我們不再把跟父母過不去的地方，全都轉移到配偶身上，要配偶做自己的父母。

就好啦！」

這兩種說法都是在講道理，同理的態度是要說：「我媽媽的確有時候不講理，會讓你很不舒服，我也覺得抱歉。你不舒服時就跟我說，我們沒辦法改變她，可是我瞭解你的委屈。」

先生能夠瞭解太太的委屈，當她再去受苦時也就不在意了。

有時候婆媳住在一起，兩個女人眼睛一斜，心裡已經有戰爭了。兩個人都要跟先生或兒子講，做兒子的不要說：「我太太不是這樣啦！你弄錯了，我認識她五年，她從沒有這樣啦！」

媽媽一聽，惱了：「我養了你一輩子，你認識她五年就完全站在她那邊了！」

或者做先生的說：「我媽不會這樣，鄰居的年輕女孩她都很喜歡，怎麼會不喜歡你呢？」

眞是「豬八戒照鏡子，裡外不是人」。

婆媳問題是兩個女人爭一個男人，這對母親來說是很正常、健康的反應。

兒子娶了太太，母親心裡也有感受，兒子是她一直在照顧，忽然間被另一個女人占過去了。

先生必須體會，如果婆媳住在一起，仍需要安排單獨跟父母相處的時間。每天太太在廚房洗碗二十分鐘，你要像沒結婚一樣，跟自己的父母在一起。如果婆媳不住在一起時，要利用太太在公司加班或開會的時間，趕快回家去做兒子。

與長輩發生衝突時，我們要表達自己的心情和感受，而不是去批評他的行爲。例如長輩隨地吐痰，你可以說：「你隨地吐痰，我會很不舒服。」具體說出他的行爲和你的感受，而不是用審判的方式說：「我很討厭

任修女一番TALK

✤ 我很具體表達了他人某個行爲帶給我的感受，這只是我的感受，現在我要去疏導，而不是要求別人改變。

你。」

別人沒辦法改變，那是因爲他不清楚你在討厭什麼。我很具體表達了他人某個行爲帶給我的感受，這只是我的感受，現在我要去疏導，而不是要求別人改變。當我的負面感受化解了以後，他明天又把痰吐在地上了，我就有力量接受他再一次吐痰。

我們沒辦法要求長輩改變。別忘了跟權威的關係，我們進入婚姻不是去做小孩，傳統的文化是要我們做小孩，規定要讓公公、婆婆喜歡我們。如今我們要用成人的心態進入家庭，我是帶來陽光給這些老人的，大家要有新的心態。現代人大多受了高等教育，兒子自己一定歡迎父母，但不確定受了高等教育的媳婦能不能接受他們。

我們要不斷傳達這些觀念給年輕人，因爲社會或學校沒有教他們，而且父母的觀念都比較陳舊。我希望有更多人把這些資訊傳出去，讓這個社會更穩！

要生活在現時現地

我認爲每個人最需要調整的觀念，就是成長過程中逐漸形成的性格。我們可能還停留在嬰兒期、幼兒期的需要，就像父母給蘋果或香蕉，我們希望兩個都要，缺一不可。「兩個都要」的觀念放在談戀愛的過程中，兩個女孩都很好，結果兩個都要，然後大家就看到情殺命案了。在這個關鍵點上，每個人要有很清楚的觀念，就是你只能選擇一個。你必須安於自己，選擇最滿意的對象，即使以後還有更讓你滿意的人選出現，你也只能夠安於自己的選擇。

這些觀念都需要在很小的時候視現實情況調整。所謂現實情況就是，我們必須生活在現時現地。以男女關係來說，小時候父母重男輕女，哥哥、弟弟都在我前面，都比我重要，但現在跟我一起生活的先生並不是哥哥，也不是弟弟，因此我內在有一種小時候形成的動力，必須分辨清楚這一點。亦即現時現地的我是跟另一位異性來往，對方從沒有意思要壓倒我，可是我自己帶了這個動力，如果先生不注意我，就是不愛我。

有一位太太對我說，她記得小時候哥哥、弟弟生病，母親都親自帶他們去看病。但是當她生病時，有時候是奶奶帶，有時候就沒人帶。進入婚姻後，當她感冒想去看病時，心裡滿腹的推力是：「先生要陪啊！先生要陪啊！因爲我小時候沒有人陪。」

然而只不過是小感冒，有一次先生沒陪，他說：「我不覺得感冒有多嚴重啊！假如你現在得了癌症，我當然要陪。只是感冒的話，我沒時間，何必陪啊！」

現在聽這個故事可能覺得很好玩，事實上我們是「當局者迷」啊！要學習現時現地生活在目前的情況裡。

婚姻是兩個成人互相滿足自己和對方的需要。「互相」就是我能夠滿足自己的需要，也能夠滿足對方的需要。婚姻要雙方一起成長，過去我受過一些傷害，但是不能要求別人把我當小嬰孩般悉心照顧。此外，我們可能非常在意家人生理和安全的需要，可是有一個需要卻從來不管。

妻子常常會燉雞湯給先生吃，燉了很大一鍋土雞湯，認為食物就是愛，可是在尊重先生方面卻從來不注意！隨便說話，傷害先生的自尊。妻子雖然從沒忘記為先生冬令進補，然而卻沒有在實現自我上給他進補。先生需要被尊重，妻子不僅很少做到，反而常說：「你這個不行、那個不行。」把人家當兒子來管，他可是二十五歲以後才娶你的，已經有一個媽媽唸東唸西，不滿意他很多了。你現在必須懂得去尊重。不管他是多麼糟糕的一個人，得到尊重以後自然就會變成不同的人。

任修女一番TALK

✤婚姻是兩個成人互相滿足自己和對方的需要。「互相」就是我能夠滿足自己的需要，也能夠滿足對方的需要。

婚姻問題是性格問題

本來，我們一生下來就是完全、完美的一個人，可是因爲環境關係，我們被污染了。很多時候父母不是很關心我們，於是我們拚命把書讀好，把事情做好，拚了命去滿足他們，讓他們滿意。我們忽略了照顧自己，並沒有完完全全做個眞正的人，而去滿足權威的需要。

由於我們不是眞正在發展自己，因此在婚姻裡兩個人不容易繼續成長，反而發生了很多問題。

站在輔導者的立場，我認爲婚姻問題就是性格的問題。性格的形成和早年生活的背景有很大關係，夫婦來自不同的背景，各自依照自己家庭的傳統和習慣來生活，因此了解自己和對方的背景十分重要。

譬如有一對夫婦，先生是長子，他從小就被要求去照顧弟弟、妹妹，結婚後他也希望妻子能夠和他一樣照顧全家人。他已經被父母培養得像一個小奴隸，不懂得照顧自己的需要，照顧弟弟、妹妹才能讓父母滿意，他也覺得這樣做才對。

當他娶了妻子，就會要求太太和他一樣去照顧這些人。他把妻子和他看成是同一個人，而這個太太可能是么女，么女通常沒有習慣照顧他人，反而都是由兄姊或父母照顧，所以太太會非常不習慣。

太太很需要先生的呵護，可是先生不照顧自己，怎麼可能去呵護妻子呢？因此妻子經常說：「你都不愛我，只愛你的弟弟、妹妹。」

這時候婚姻就發生了問題。

婚姻生活中，很多問題都是出在雙方的背景差異。丈夫並不是不愛她，只不過把妻子當成他自己；他從不照顧自己，所以當然也不會去照顧妻子。他只期待妻子像自己一樣爲整個家付出，做到「長嫂如母」。在這樣的情況下，這個么女就無法勝任，很難做好他的妻子了。

有時候先生進入婚姻以後，會對太太說：「每個月的開支狀況，要給我記帳記清楚。」

排行中間的孩子很會照顧自己的權益，希望知道錢怎麼進出。先生的出發點是，只要你把帳記清楚，我就能知道家用錢的來龍去脈。他並沒有說我不信任你，只不過要你把帳記清楚。如果他的配偶是么女，就會認爲：「你不信任我，所以才要我把帳記清楚。」

所以，每個人思考、處理問題的出發點都是從背景來的。

么女總覺得兄姊或父母對她的態度都是「你很小，你不懂」。而排行中間的丈夫則認爲「我需要對事情有一個清楚的瞭解，因爲我要對自己負責，沒有人會負我的責任。」兩個人的出發點很不容易碰在一起，所以婚姻生活就會因

任修女一番TALK

✤由於我們不是眞正在發展自己，因此在婚姻裡兩個人不容易繼續成長，反而發生了很多問題。

背景不同而產生問題。

當夫妻關係出現問題前來求助時，我們要幫忙他們看出兩個人的出發點不同，就比較不會經常爭執。如果夫妻倆都排行老大，都習慣發命令，兩人碰在一起就容易吵架。要想辦法讓他們學習傾聽對方，而不是一天到晚發命令。長子也要學習照顧自己，容許弟弟、妹妹長大，爲自己負責。要從自己的背景裡走出來，不要依照過去的經驗處理問題。

有的人小時候家裡很窮，很注意花錢。但是現在賺了很多錢，這時候如果太太買了一件新衣服，不必緊張地跳起來，應該容許她買新衣服。

要生活在現時現地，不要繼續活在小時候的境遇裡。輔導者要幫忙他們看到，現在是丈夫與妻子兩人組織新家庭，需要有兩家人的長處，卻不能成爲兩家人的翻版。

關於性的一些觀念

男性在性的衝力上比較快，想要馬上得到；女性卻慢條斯理，一點一點地才能夠高漲起來。

男人是感官動物，看見一張裸體畫就會衝動；可是女性必須要與男人有心靈的溝通，然後她的身體才能燃燒起來，交出她自己。所謂心靈的溝通就是經常說話、談心，覺得伴侶眞正關心她、把她放在第一位，願意負責任。

至於男性，只要女方穿著性感睡衣就能挑起他的慾望，所以女性要特別注意這一點，保護男性，以免拒絕對方而傷了他，或不拒絕對方而傷了自己。

倘若希望婚後性生活協調，就必須在日常生活中時常關照對方。若要女孩將自己交托給你，你就要對她負責任，把她擺在第一順位。

兩個身體的互動只不過是機械式的行爲，動完了之後並沒有所謂創造性的力量。如果兩個人有心靈的接觸，性生活完後會有一種心靈的喜樂，這種喜樂是整個身心靈的結合，是一種再創造的經驗，可以讓兩人的關係更有活力。

性並非只是生理上的滿足，而是精神、情緒的溝通。美滿的性生活必須先有協調的日常生活，這十分重要。

婚前四種特殊問題

一、**太年幼的婚姻**　如果未成年男女要結婚，我們必須幫助他們看清楚未來可能發生的問題。

二、**再婚**　除了夫妻兩人的關係外，被帶入新婚姻關係中的子女，他們的心情也需要被照顧。

三、**不同宗教與種族的婚姻**　與外國人結婚，需要事先對另一半的文化有所瞭解，否則雙方的關係就不容易進入狀況。不久前有位小姐從國外回來，和我談話。

台灣女生比較會撒嬌，在國內會要求男朋友陪她讀書，當她要求美國男友陪伴讀書時，他說：「我才不陪你讀書呢！」女孩就覺得很受傷害。

「對美國人來說，依賴是他們最不喜歡的東西，他們的文化就是要子女不依賴父母，父母也不依賴子女，都是很獨立的。所以你要他陪你讀書，對他來講，那是很要不得的事情。並不是他不愛你、不重視你，這只是他們文化中的定義。」她聽了我的解釋之後就比較清楚了。

異國聯姻必須先瞭解配偶的文化。

四、被迫成婚　現在這種情形比較少了，就是強迫女孩嫁給某某人，例如有錢人。以教會的立場來看，這樣的婚姻根本不成立。

Marriage

2 結婚後

經營愛與成長的舞台

婚姻是四個人的互動

根據艾瑞克・柏恩的溝通分析理論，婚姻並非僅是夫妻兩人的互動，而是四個人的互動：兩個現在的「成人」，以及兩個依照過去模式做反應的「孩子」。

婚前婚後的男女必須體會：婚姻讓我們很容易回到過去原生家庭的情況，因爲婚姻生活跟早年太相似，所以我們很容易就會要求這個家要像我的原生家庭才行。

每個人都帶了一個「家」的標準，好丈夫應該怎樣、好太太的標準又是怎樣，把這一切帶到婚姻生活裡。他們不知道還有無數的家庭在過不一樣的生活，好像世界上只有我那個原生的家才是眞正的標準。

艾瑞克・柏恩認爲，夫妻都有傾向願意把新家塑造成和自己過去的家完全一樣，因此，二人在關係上就會互相堅持而發生問題。

艾瑞克・柏恩又主張，一對夫婦他們各自和父母的關係，就是將來他和另一半的關係，同時也呈現了他希望跟對方建立什麼關係。

怎麼解釋呢？我常常問：「這位先生！你看到這位小姐怎麼跟她父母來往嗎？」「這位小姐！對方跟他父母來往，是什麼樣的情形？」

很多時候女生馬上說：「他跟母親講話沒大沒小的，很衝。」

你已經看到他跟母親講話很衝、沒大沒小，所以將來度蜜月回來，他也對你這樣說話的時候，可不要說嫁錯人了，而要說：「啊！他對我就像對他媽媽一樣親密。」

這個要很清楚，他度蜜月回來已經對你衝來衝去，這表示他跟你十分親密、十分信任你，感覺到跟你的關係已經很有安全感。

在還沒有結婚時，他把你捧得像玻璃球，不敢打破，打破就完蛋了。等到結了婚，你就變成鉛球，扔不爛也摔不破，這時候你要能夠看出，他覺得跟你在一起很安全。

這也是學習一個新觀念——「親密包括隨便」，隨便並不是說吵架時一把抓住你胸脯，拉你的頭髮在牆上捶兩捶，而是可以把內在的心情毫無顧忌地表達出來。

爲了改進習慣的模式，結婚後我們要繼續溝通、交談。艾瑞克・柏恩並不是准許這個人一輩子跟太太講話都可以很衝。我們要幫忙他認識過去的家庭背景，主要是幫助他改變、成長，而不是繼續像過去那樣衝來衝去、沒大沒小。「我這輩子就是這樣，你要知道啊！這就是我的背景！」這樣說是藉口，做父母的懂了這個道理以後，要幫忙子女瞭解他的背景怎麼影響別人，讓人受不

任修女一番TALK

✤艾瑞克・柏恩提出的第一個原則就是：配偶怎麼跟父母來往，他就會怎麼跟你來往；他的父母怎麼對待他，他也會要你怎麼對待他。

了，別人可是一直在容忍，容忍是有限度的。夫妻兩個人都要不斷地在婚姻裡牽手、承諾，要改變、要成長。

婚姻是成長的機會。艾瑞克・柏恩提出的第一個原則就是：配偶怎麼跟父母來往，他就會怎麼跟你來往；他的父母怎麼對待他，他也會要你怎麼對待他。

如果他的父母接納他的沒大沒小，他也希望你能夠把這一部分接納下來。在婚姻裡，我們必須容許對方可以有背景裡的弱點。人是被接納了以後才可能改變，而不是你學了一些理論就要分析人家，要求人家改變，這樣的態度並不是很恰當。

因爲你愈是要改變對方，他發起三歲孩子脾氣就偏不改啦！我們要努力去接納對方，接納之後，對方就不需要防衛或找藉口解釋，沒有消耗精力，他就比較有可能改變。

同樣，我問一位男士：「你有沒有去她家？」

他回答：「有啊！」

「去多少次?」

我們稱偶爾去女方家時，對方家人的行爲是「保衛性行爲」，大家客客氣氣的，因爲有客人來了，不能披頭散髮現原形。

「很好，沒事!他們都很客氣!」

這樣的保衛性行爲不能算數。

如果他看見女友很會跟父親撒嬌，我就說:「你很有福氣囉!她以後也經常要向你撒嬌。」

他說:「那多噁心啊!」

任修女一番TALK

✤在婚姻裡，我們必須容許對方可以有背景裡的弱點。人是被接納了以後才可能改變，而不是你學了一些理論就要分析人家，要求人家改變，這樣的態度並不是很恰當。

這就是背景不同，習慣也不同。這位小姐經常向父親撒嬌，認爲撒嬌是一個很愉快的經驗，可是男朋友卻覺得噁心。因此他們倆要先互相瞭解，知道女方經常撒嬌，可能男方會覺得噁心，彼此要照顧對方的感受，這是十分重要的一環。

我們要瞭解兩人背景不同，反應自然也不相同。有時他很幽默，另一半卻說這好輕浮哦！怎麼一天到晚沒正經話好講。

幽默其實是一大優點，每個人都會笑一笑自己。人有自我解嘲的能力，是一種特質，可是我們經常用幽默來打岔，來虛度人生，那也不對。任何事物過度使用都是不對勁的。

對方的背景可能是一本正經，也可能從沒有正經過。當我們相互瞭解後，好，不必完全照你，也不是完全照我，而是兩個人互相折衷。有時候容許對方幽默一下，有時候則要照我的一本正經。所以，去對方家時，要依照對方家裡的尺度，尊重對方的衡量標準。這些都需要不斷溝通、交談，才能雙方瞭解，進入融洽的婚姻生活。

瞭解背景，經營婚姻就比較容易。有些價值觀是從父母來的，可能過時了，父母背景裡的東西也需要重新衡量和評估。

任修女一番TALK

✤婚姻並非僅是夫妻兩人的互動，而是四個人的互動：兩個現在的「成人」，以及兩個依照過去模式做反應的「孩子」。

愛恨衝突

夫婦、父母子女、兄弟之間，以及一切其他人際關係互動，都潛藏著衝突的種子。衝突本身無所謂對錯，人們的態度和處理方法才會賦予衝突正面或反面的意義。以建設性的態度面對衝突，是婚姻關係中絕不可或缺的。

一般人都覺得衝突不好，大家也不喜歡跟別人衝突，甚至有些文化認爲衝突是不道德的，所以大家拚命壓抑，不讓自己跟別人發生衝突，結果人跟人之間就有很多誤會、憤怒、仇恨。這都是壓抑、無法發洩衝突的情緒造成的。

其實中國人有很多古諺是容許衝突的。譬如：「不打不相識」，就是容許我們可以有衝突。可是有時候在婚姻早期，大家不喜歡破壞氣氛，或是怕吵完了以後跑出來很多負面感受。許多人都不敢碰這個問題，怕碰了也許沒辦法維持正常生活，然後自己就垮掉了。

很多人把愛、恨看成兩極對立。事實上它們並不是對立的，而是相對的，愛、恨通常連得很近。如果一對情侶相識很久以後能夠吵上一架，很好！其實你們已經有了安全感，情緒可以進到更深的階段了。

在日常生活中，你有時敢跟大哥吵架，就是不敢去碰小弟弟，唯恐他懷恨在心，一輩子都不跟你講話。在我們修女會團體生活裡，這件事就很清楚，有些人我會跟她吵上三天三夜，明天關係還是很好；有些人我就不敢碰，連三句重話都不敢說，唯恐碰了以後，我們的關係從此就完了。這主要是因爲如果我敢去吵的時候，內心深處已經體會到就算跟對方敵對，還是可以讓自己眞正的感受自由跑出來。

愛與恨其實是：有了愛，恨就可以自由跑出來了。反之，沒有愛時，恨也不敢出來。一位新來的修女，如果我不認識她，就不敢自由表達內心的情緒，主要是我不清楚會出現什麼互動，害怕我們的關係從此完了。

進行個別婚前輔導時，我會問：「交往多久？有沒有吵過架？」

他回答：「交往三個月，沒有吵過架。」

我說：「沒資格結婚耶！沒吵過架，你怎麼知道吵完了以後會和好？吵過架又和好了，這個才是。」

在人生歷程中，有很多機會你會碰到我，我會碰到你，互碰時可以讓情緒很自在地跑出來，當然這時候要有建設性。

我曾跟某位修女吵架，她說：「你沒出息。」我說：「拜託！不要這樣講。我知道剛才那個行爲讓你不舒服，不要針對我這個人好不好？」

吵架也要有建設性，不是針對人，而是講出別人的某些行爲帶給我什麼心

任修女一番TALK

✤吵架也要有建設性，不是針對人，而是講出別人的某些行爲帶給我什麼心情，同時這也碰觸到你背景中的經驗，可以把握機會深入探索。

情，同時這也碰觸到你背景中的經驗，可以把握機會深入探索。

如果我們關係很好，我自然可以讓背景裡的經驗自由跑出來，所以眞正建設性的吵架，會很清楚跟對方說：「也許是碰到了我過去不愉快的經驗吧！可是剛才你那個行爲讓我很不舒服耶！」

我很清楚，不愉快的感覺的確是碰到了自己背景裡的經驗，不過因爲我們的關係很好，所以要講講我的感受。

溝通是我碰到了某項經驗，我要化解自己的感受，而不是改變別人。非建設性的吵架經常是這樣說的：「我已經跟你講了五遍，你還是不改！」這不是建設性的吵架。吵架之所以能溝通，重點是在於衝突是講我的心情、是化解我的心情，以後我們的關係才不會梗在那裡，而不是我講了，你就要改，這不是建設性的溝通。

夫婦吵架常常要求對方改變，把自己跟父母的關係轉移過來，與配偶吵得一團糟。把配偶看成是過去的父母，事實上就是停留在過去。有時候夫妻吵架也是一種投射，一個人說：「你看不起我！」其實是看不起自己，因爲矛頭指向自己，不容易說出口，於是改口說：「你看不起我！」比較容易，這就是一種投射作用，什麼都是對方的錯。

我們的心情投射在過去的關係裡，過去父母如何對待我們，現在夫妻一吵，過去的心情跑出來了，然後就用跟父母衝突的方式對待配偶。

事實上，衝突是任何人與他人來往時都會發生的狀況，衝突談不上好壞、對錯，我們可以有衝突，可是必須以建設性的方式跟人衝突。我們慢慢學習以「我的訊息」溝通，就是告訴對方：你的行為帶給我什麼樣的心情。

任修女一番TALK

✤夫婦吵架常常要求對方改變，把自己跟父母的關係轉移過來，與配偶吵得一團糟。把配偶看成是過去的父母，事實上就是停留在過去。

從內在衝突到自我實現

一般人解決衝突經常是用轉移、投射的方式，「都是你的錯」或「都是我的錯」，無法建設性地和人來往，因此才形成婚姻問題。

新心理學派強調，內在心理衝突是外在人際衝突的因素。如果我們希望婚姻順利，必須先清楚意識到內在的心理衝突，才能有健全的外在關係，可以和配偶相安無事。

有時候我們用佛洛伊德的本我（原我）、自我、超我理論來解釋，他的重點是擺在這三個不同「我」的關係上。「本我」（原我）是與生俱來的強烈欲望，需要現時現地立刻得到滿足，可是「超我」不允許，然後此刻的「自我」，就是現時現地的這個「我」開始不安。這個內在衝突讓我很不舒服，我想要的因為社會壓力而沒辦法得到，這個不舒服讓我的內在出現很多動力，推動我遷怒到別人身上。所以情緒不好時，看見地毯上掉了一條線都會很受不了，然後就開始罵人，引起許多衝突。其實這一切是我的內在有了一個欲望，自我無法融洽地處理它，產生很多不滿意、不肯定自己的情緒，這就是佛洛伊德講的三個「我」的衝突。

現在我們講的溝通分析，是湯瑪斯·哈里斯（Thomas Harris）用父母、成人、小孩三種概念來解釋人格的構成單位。每個人在跟他人來往時，有時用父母的心態，有時則用成人或小孩的心態。溝通分析的目的是讓大家自我瞭解，進一步認識內在心理衝突的根源，然後推動自我實現的成長過程。

一、父母心態　這是指記錄我們童年時從父母所接受的一切知識，父母講什麼，我們照單全收，可能從沒有評估過，而且不能改變，永遠都要這樣。

譬如，婚姻生活裡最容易碰到的就是「男做女工，愈做愈窮」的說法。這是農業社會給孩子的訓誡。現在農地已經變成工業用地了，很少人務農，可是這個兩千年歷史的陳舊觀念仍然深深印在男人心裡。他們進入婚姻後，沒有重新評估這種說法是否適合現代社會。父母傳達了這個訊息，小孩接受了，認爲做女工家裡會愈做愈窮。我們上海人認爲男人做女人家的事就是沒出息，所以這個怕窮、怕丟人、怕沒出息的觀念，就很深烙印在男性心裡。

二、小孩心態　來參加懇談會的夫婦，已經學到了現代社會「男不做女工」不合時宜。現在女性也外出工作，所以先生回家要幫忙做家事。當他第一次到陽台曬衣服時，說：「先打開門，看看四周有沒有人，確定沒有人，趕快！趕快出去曬！然後趕快回來！」

這說明了什麼？怕被別人看到了，笑話他沒出息。由此可見，父母資訊確實完整保留，小孩的心態也在重演。

三、成人心態　我們已經被污染了，需要有一個成人部分負責探測、評估

任修女一番TALK

✤如果我們希望婚姻順利，必須先清楚意識到內在的心理衝突，才能有健全的外在關係，可以和配偶相安無事。

各種可能性，它是我們的思考方式，是不是男做女工愈做愈窮、沒出息？這種看法在現代社會是否恰當？要去重新評估，評估後小孩的心態一定還在。例如每次去曬衣服時一定還是會不舒服，怕別人笑話，心情也七上八下。假如能瞭解童年時如何產生許多不舒服的記錄，就可以擺脫掉，它就不會繼續在目前的情況中重現。雖然我們不能把錄音帶洗去，但是可以關掉它。

換句話說，剛才那位先生來這裡上課後，回家決定要幫忙做家事了，他的「成人」心態已經審核過了，男人不做女工現在已不合時宜。可是早年的經驗就是沒辦法洗掉，當它出現時怎麼辦？我們容許它出現，但是不去聽，只要不聽，我就能很清楚告訴自己：「我是一個有出息的人，我在幫太太，我是成人。太太也在外面工作，兩人都主外啦！以前說『男主外，女主內』，現在時代不同了，兩個人都主外，所以她主外回來，要主內時，我也要幫忙！」

如果他是長子或長孫，從沒有做過家事，心裡一定還是有感受，可是就不能去聽，否則會被感覺牽著走。我們要去接納，可以有不舒服，但是不會被不舒服牽著走。他可以一面掛衣服一面說：「我實在很不甘心耶！我不習慣掛耶！我不願意掛耶！」掛衣服的同時，他可以疏導情緒。

做太太的要很清楚，以感恩的心說：「你已經不會跟著感受走了，爲了愛、關心這個家，爲了關心我，你能不被感受牽制，你已經走在成長、成熟的路上了。」要鼓勵、讚美、肯定丈夫。

在相互體諒當中，婚姻是成長的機會，即使是一件小事，都要加以肯定。

事實上，兩個人剛結婚時可能是兩個很小的小孩，所以要相互調整，有時我的「成人」要出來照顧你的「小孩」，有時你的「成人」出來瞭解我的「父母」，而且彼此要自由自在。

任修女一番TALK

✤在相互體諒當中，婚姻是成長的機會，即使是一件小事，都要加以肯定。

互相瞭解而非要求對方改變

學習溝通分析是互相瞭解，而不是要求對方改變，這一點很重要。互相瞭解就是：你現在跟我來往是用「父母」的心態，原來你在家裡是大姊，常常發號司令，現在跟我互動，你又在命令了，但是我能夠瞭解你的背景。

如果不去互相瞭解，就會發生下面這種情形：「你要注意，最近你菸抽太多，我很不放心，怕你會出事情。」

先生立刻說：「你又像我媽媽來管我抽菸了！」

看到了嗎？「你又像我媽媽來管我抽菸。」他有一個常常管他的母親，你想跟他平等來往，他反而把衝突挑出來：「你又來管我了！」所以兩個人談戀愛，要互相瞭解自己和對方的背景。有時候先生會對太太說：「最近我要開一個很重要的會議，好多東西都來不及做，你能不能幫我打電腦？」

太太說：「你怎麼一天到晚臨時抱佛腳啊？」有沒有看到？「你經常臨時抱佛腳！」就是她父母挑剔孩子的方式，這裡面沒有對等的關係，所以不是生活在現時現地。

衝突的主要來源就是我們停留在過去，大部分人約有百分之六十到七十與人的關係都是在過去，而不健康的人可能百分之九十都在過去，沒有在現時現地。別人是用平等的關係請你幫忙、用平等的關係來跟你討論：「要不要討論一下我們的收支情況？」

「你又不信任我用錢了！」

這個不信任是在哪個時期出現了不對勁？嬰兒期！「你又不信任我花錢的態度了！」其實太太只不過是希望討論一下收支，怎麼來量入為出。

根據湯瑪斯的說法，如果進入婚姻以前，我們能夠互相瞭解吸收了父母哪些資訊，就可以學習以成人的關係跟人來往，婚姻就會大不相同。

這些過去的心態可能一輩子都不會離開我們，可是意識到了以後，它一冒出來我們就可以把握住。所謂不能把錄音帶洗掉，但是我們可以關掉它的意思，是我們有能力不受它的影響，也可以愈來愈快意識到它。

年輕夫婦經常是吵完架一、兩個小時才發現，原來我又用父母的態度跟人來往了。如果他們能夠在婚前學習溝通分析，就比較能夠迅速找到癥結，到了頭髮白的時候，錄音帶一放出來就立刻知道了。婚姻的協調是要一輩子去成長的，不是一結婚就很協調。我們可以談很久戀愛，可是一起生活那又不同啦！很多生活情況是要繼續不斷去認識、繼續地談戀愛。

任修女一番TALK

✤我們可以談很久戀愛，可是一起生活那又不同啦！很多生活情況是要繼續不斷去認識、繼續地談戀愛。

人的四種基本心態

一、我不對，你對

湯瑪斯・哈里斯提到人的四種基本心態，第一個是「我不對，你對」。

我們小時候像一張白紙，需要父母或周圍的人關照我們的需求，特別是精神、情緒上的需求。

一般來說，我們物質上的需要都不會太欠缺，假如父母不在，我們挨餓了，鄰居會送東西給我們吃。可是我們在精神或情緒上沒有得到滿足時，鄰居不知道，父母也不知道，那時候我們很小、很無助，很需要別人來幫助我們，有人幫忙時，我們才覺得有希望，所以當時我們能夠表達的是：「我不行耶！你很行耶！」

你很行的話，你就會來照顧我，然後我才覺得自己比較有辦法、有希望。

這是我們出生後的第一個心態。

二、我不對，你也不對　在兄弟姊妹中排行老二的就很苦惱，因爲前面的老大已經佔了一些資源，先來的人就會被愛得多一點。所以老二很快就覺得：「我不行，媽媽也不照顧我，她也不行。」另外，老大要等到媽媽生了第二個小孩以後才會感覺到「我不行，媽媽也不行」，因爲她都不管我，只會一直照顧弟弟或妹妹。

第二種心態是「我不對，你也不對」，從「我不行」的心態變成「父母也不行」了。這種情況比較少見，雖然媽媽有了第二個孩子，如果家裡還有其他成人願意照顧我的話，就不太可能演變成「我不行，你不行」。「你不行」是一種很受傷的心態，一般人都停留在「我不行，你行」的階段。

三、我對，你不對　第三種階段是「我對，你不對」，就是「我行，你不行」，這常常是犯罪的心態。所謂犯罪的心態就是在整個童年生活裡沒有人打理他，也沒有眞正感覺到被父母關愛過。每個小孩與生俱來都願意配合大人，但是很可能沒有得到鼓勵和讚美。即使父母都不愛他，小孩還是有意願配合大人，因爲他的外在取向就是我都聽你的，你總該愛我了吧！

很多父母整天忙碌，再加上有時候父母的關係處不好，小孩明明做對了、做好了，還要受到遷怒。父母關係不和諧，等於兩個大孩子經常在吵架，然後子女一直眼巴巴期望著：你們要什麼，我就給什麼，你們總要來關愛我了吧！

小孩的感覺是：我很不錯哩，你們要什麼就給什麼，可是你們的關愛爲什麼還不來？原來是你們倆在糾纏不清、打來打去，沒有力量給我任何東西！這個小孩就開始想：我是對的，你們不對。這種心態放到成人生活裡，就變成沒有自我反省的習慣。

任修女一番TALK

✤做母親應該是很穩定的人，人生的確有很多渺渺茫茫看不到的東西，這些未知都很可怕，可是我相信我們可以通過。

這個心態是在三、四歲以前就定下來的，他已經認定了你們不對，我是對的，以後就依照小時候的經驗去生活啦！也就是你以前不愛我，這輩子你也不會愛我了；或是你以前常常不對，你這輩子也不可能對啦！我是對的，因爲我都有依照你們的意思做，滿足你們。

當小孩得不到愛的時候，都是外在取向的。所謂外在取向，就是說你大人要什麼，我就給你什麼，我都不打理我裡面的心情。我就是往外看著你，你喜歡我去做什麼，我馬上就做什麼，即使我自己不喜歡，我也不管，我就是要你喜歡。他可能整個童年都是這樣，三、四歲時就做了個決定：「我是對的，你是不行的。」這是一種犯罪心理，都是別人不對，他不必反省，也沒有不對，從小就把這種心態帶到成人生活裡。

結婚後，不論配偶做什麼都是「我對，你不對」，都是配偶的問題：「要不是你很晚回來吃飯，要不是你沒有打電話回來，我怎麼會發怒呢！」

不去打理自己的發怒，因爲裡面的怒火已經很滿了啊！沒有去分辨自己裡面滿滿的心情，只要一個電話沒來，心裡就裝不下一滴水了，就流出來啦！

第三種心態最糟糕，哈里斯很清楚地表示，一般人都停留在第一種心態，不容易有第二、三種心態。

現在社會小家庭多，很容易產生「我對，你不對」的孩子，所以當今犯罪行爲比較多，重點就在於家裡除了父母之外，沒有其他人可以緩衝，帶給小孩需要的愛心。

四、我對，你也對　第四種心態是「我對，你也對」，這不是感受，而是一種決定、觀念，是一個人因爲有了宗教信仰，受到別人關心，再加上不斷自我修養而形成一種自知之明，然後才發現我們兩個人都是沒問題的。所謂自知之明，是指他瞭解每個人在成長過程中都曾受過傷害，也有一些缺陷與弱點，

任修女一番TALK

✤現在社會小家庭多，很容易產生「我對，你不對」的孩子。

只是多或少而已。

我們都不斷地想要改變這些缺陷，譬如我講話很大聲，這個習慣到現在還沒有改掉。有人就說了：「任修女，你不像女人耶！聲音這麼大，我們受不了你。」

兩星期前也有修女跟我講：「這麼大聲，好像要置人於死地。」

我講話就是聲音很大，已經改了六十年還沒有改掉。別人也有他背景裡的缺陷，我相信他也在改，可能也跟我一樣改不掉。我接受自己可以有這種弱點，不像女人、講話很大聲，我可以改不掉，這樣可以有我弱的那一面。如果我沒有弱點，那就慘了，我要去跟老天媲美，變得驕傲了，以爲自己是神，你們都是人！如果這樣想，我就眞的完蛋了，幸虧我還有弱點，還可以依靠上天。

這就是我說的自知之明，我的缺陷改那麼久改不掉，因此我相信別人也在改。有些不相信的人就問：「修女怎麼知道他在改啊！」這就是沒有信，信就是我相信他有一天能改變。這就像我是信主的人，還沒有看過主耶穌，可是相信有一天我會看到，這就是相信。

信就是雖然沒看到，但是我相信。做母親應該是很穩定的人，人生的確有很多渺渺茫茫看不到的東西，這些未知都很可怕，可是我相信我們可以通過。即使現在通不過，但我相信會通過的，這就是我接納了自己的不行。我正在改，雖然改不過來，我已經盡了力，我是OK的。我沒有說不改，我也承認這是我的弱點，可是我接納自己可以有弱點，而且，幸虧有這個弱點，讓我體會到自己是個普通人，不是神。這樣的心態需要很多人生旅途的操練，也需要不斷去相信自己和別人，所以不是一個五歲孩子馬上能夠「我對，你也對」。

人生要走到某一個階段才知道：改變是需要時間的。小孩還沒辦法知道人

任修女一番TALK

✤所謂自知之明，是指他瞭解每個人在成長過程中都曾受過傷害，也有一些缺陷與弱點，只是多或少而已。

的成長要耗費時間，所以「我對，你也對」需要長時間修養後才能達到。

我們必須逐漸接納：我是一個有弱點的人，我不斷努力改變，可是還沒有成功。我知道成長是很難、很慢的事情。

愛是一種決定

婚前輔導是幫助青年男女逐漸成爲恰當的結婚人選，而不是變成十全十美的人，這是我們的觀念。追求完美的人，想做一個十全十美的媳婦，可是世界上打燈籠也找不到這種媳婦，而是不斷成長、成爲愈來愈恰當的人選，爲什麼？因爲婚姻不是普通的事情，需要很多磨練。

有時候女性在婚姻裡很怕被拋棄，所以唯唯諾諾、努力工作，這是潛在小孩的心態。努力工作，但是沒有打理自己的內在，完全依照小時候父母的訊息。如果公公、婆婆、先生不肯定時，就活得很苦。

一旦發現問題出在害怕被拋棄，就可以對自己說：「現在他們可以丟掉我，我，我也有辦法。」

小時候的感受帶出一個核心信念：我會被送走，所以我要乖，完全聽大人的。現在我發現了問題根源，以後可以不依了，我可以打理自己的心情。那麼，這位女性的心態就會有很大不同。

在婚姻生活裡，女人要做家事，有時候先生要稍微打理一下太太的感受，誠心說：「辛苦你了！」

太太聽了就是要做三天三夜也可以。

上星期在我帶領的團體裡，有些太太說：「做很多家事時，如果先生來輕輕拍我一下說：『辛苦了！』這樣我就會比較甘心。」

婚姻生活中最怕一個人停在那裡不動。只要有一口氣，我們就必須不斷成長、改變。來這裡參加活動的太太們成長了，可是配偶不跟著成長，這也很痛苦。先生不成長，兩人出現代溝就無法溝通，因爲他不想看新的那一面，還停留在除了呼吸、光宗耀祖之外就是賺錢的階段。

我們學習了「我對，你也對」的觀念，不是要去改變另一半，而是去瞭解他的背景，儘管他墨守成規，我們仍然抱持接納的態度。我常說婚姻生活裡有一個人在成長，這個婚姻可以得救；如果兩個人都不成長，當然無法得救。只有一個人成長，做媽媽的就要翻譯，向孩子說爸爸小時候沒有學到好的示範，他用的是舊方法，你看他很努力在賺錢，用努力賺錢來愛我們，我們領受到他的愛就夠了，而不是要求他改變，要求他改變不符合我們的文化。

美國人可以硬碰硬，如果對方這樣我就跟你一刀兩斷，我們國內這一代男人，你跟他一刀兩斷，他有可能會去自殺。我們是要他活，不是要他死。我們愛惜人的生命，路上一條狗或隔壁的老人要死，我們都不願意，更何況是孩子的父親。所以我們必須配合自己的文化，笑一笑說：「他做一家之主，呼來喝去發命令。」如果你是一個自我肯定的人，會覺得這是先生的習慣，何必跟他計較啊！這樣，你不計較，平心靜氣，內心裡沒有衝突，小孩也不易跟大人衝

任修女一番TALK

✤ 婚姻生活中最怕一個人停在那裡不動。只要有一口氣，我們就必須不斷成長、改變。

突。如果你認爲自己是現代女性，要跟他完全平等，他不做家事我也不做，去買飯盒回來吃就好，不久這戶人家就不像一家人了！夫婦倆只要有一個人是成熟的，處理問題就可以是成熟的。

哈里斯說：「要扭轉不對的感覺，唯一的辦法是設法瞭解造成前三種心態的童年情況。」「我對，你也對」是一種心態，並非一種感覺。所謂心態，是一個決定。愛是一個決定，不是一種感覺。

我們必須分辨清楚什麼是愛？愛是一個決定，無論患難貧病我都要支援對方，這是一個決定。哪怕是結婚第二天他變成了植物人，我都要去愛他，這不是很容易的事情，所以進入婚姻需要很大的決心。生而爲人能夠爲另一個人付出，爲他犧牲，就像士兵願意爲國家獻出性命，是很高超的事情，需要在成長中得到很多愛，不然一定臨陣跑掉。

我們要現時現地處理父母和小孩的資訊，採用其中有意義、關聯、適當的部分做出決定，這十分重要。愛不能只是一個感覺。很多年輕人誤以爲愛是一種快感，第一次跟情人接吻時心怦怦跳，現在心不怦怦跳了，就要找另一個人，這是停留在嬰兒期的快感。心怦怦跳的確是很不得了的感覺，可是如果經常停在這種感覺裡，是要發心臟病的，人也活不成啦！人要經常享受生活經驗裡的每一秒、每一分鐘，就是要平常心，過平常的生活，才能夠長命百歲。

任修女一番TALK

✤夫婦倆只要有一個人是成熟的，處理問題就可以是成熟的。

把握成長的機會

夫妻雙方都能基於「我對，你也對」的態度互動，就能揚棄陳舊的「父母」與「小孩」資訊，自由採用「成人」資訊做事、處理問題。很抱歉要對各位太太說，你們的先生都沒有來上課，沒辦法兩個人都揚棄父母與小孩的資訊，只有你自己先回去揚棄，做一個穩定的人，孩子也跟著你穩定。孩子會怎樣反應，完全在於你的反應，如果你像小孩一樣反應，孩子也只能停留在小孩階段。夫妻的關係不是一方的「父母」和另一方的「小孩」部分溝通，而是「成人」跟「成人」之間的建設性溝通。

所謂建設性的溝通，就是需要去同理別人的感受世界，不單是看到別人的外在世界，更是別人的內在感受。簡單地說，你對配偶的感受世界到底清不清楚？試著去體會另一半對某些事情的反應，當他聽到一句話、看到一件事情，內在的感受會是怎麼樣？這就是同理啊！這一切需要我們不斷努力去跟他溝通。你也許會說：「問他，他不講！」

對啊！他也許眞的不講。

最近來談話的一位太太就說：「先生很少講話，沒話好講。」我說：「他是沒話好講。你要不要看看他每天回來的表情？他有肢體語言，要是你能去打理他的肢體語言和表情，打理久了以後，他不用講話，你就能夠體會他的心情，清楚我的話嗎？」

人的肢體語言比說話還要清楚、誠實，所以你必須去打理。

剛剛講的個案，太太接著說：「我們家兩個孩子都是男生，很久以前我就跟先生說，我只是女人，能夠給他們的就是女人的關愛與照顧。」可是兩個男孩需要學習如何做男人，先生回答：「我自己也沒被人教過啊！還不是也長大了。」

這是個什麼心態？小孩的心態，所以他們的兒子也可以莫名其妙長大啊！先生就這樣推掉了，所以成人跟成人之間需要雙向溝通。

小孩和父母的溝通，常常是父母發了命令以後，小孩就沒話好講。這位先生說：「我就是這樣長大的啊！他們也可以。」這就是單向溝通。

有時候某個配偶很懂得付出關懷，另一個則是「小孩」心態，需要被關照，這也是雙向溝通，是互補性的。我們必須很清楚，他們開始談戀愛時，一個扮父母，一個演子女，所以他們的關係很好，然後就結婚了。一旦兩人愛的結晶來了以後，太太沒辦法一直關照先生，問題就發生了。

我們必須看到，他們的結合是互補性的，我們要提醒而不是阻止他們。不妨鼓勵他們在人生另一個階段開始成長，那個扮演小孩的一方要趕快學習，同時也要做大哥哥或大姊姊，懂得照顧配偶。在結婚或訂婚的第一天，就要開始

任修女一番TALK

✤所謂建設性的溝通，就是需要去同理別人的感受世界，不單是看到別人的外在世界，更是別人的內在感受。

學習成長，而不再是一面倒的一方做父母，另一方做小孩，好像這樣的關係很美好。

有時候是身為長女的妻子照顧一個老么的先生，剛開始時一定很好，等到生了兩個孩子，他們來找我談話。太太說：「我有三個孩子！」

我覺得很奇怪：「怎麼變成三個孩子呢？」

她回答：「老公是我的大孩子。」

每個人都可以不斷成長，婚姻是成長的機會。有時候兩個人會故意唱反調，你要我偏不給你，明明知道你是老么，現在我做大姊做累了，不想做了，所以我偏不給。這些潛在問題也是婚前就要注意。雖然大姊做累了，可是這個人還需要我，有時候要給，幫忙對方逐漸成長。

學習雙向溝通

在成人的關係裡，雖然兩個人都是蒐集過去成長背景的資訊，不斷地去分辨、做決定，但也需要學習雙向的溝通。

因爲能夠污染婚姻的就是，假設有一方主觀很強，有很多偏見，他的偏見再加上背景中的父母資訊，很可能因此要求另一半都要聽他的，好像我什麼都比你行、我在你上面、我是男生，或者我是女生沒錯，可是我受的教育比你高。我們要不斷提醒他們，溝通是雙向的，兩人的背景資訊要擺在一起分辨，然後去做決定，而不是全照某一人的資訊。

現代女性受了很多教育，也做了女經理、女董事長，什麼都做了，可是她的心裡還是不安，還需要男性的青天白日照在她身上，這是婚姻中的男女需要知道的。當雙向溝不通時，可能就需要找另一個人一起談，而不是完全聽我的或聽你的，這個十分重要。

每個人最好能把溝通分析從頭到尾學一學，因爲這裡面可以玩很多把戲。所謂玩很多把戲就是，他們時常會說：「都是你啊！如果不是爲了你，今天我怎麼會那麼糟糕！」

這還是把很多情緒都投射到別人身上，雖然已經學習用「成人」的態度溝通，然而有些東西還是分辨不清楚。我們如果把它弄清楚，就比較容易有效地幫助，可以看出他們又在什麼地方觸礁了，這十分重要。

要整合情緒與理智，是要受很多苦的。重新經驗某些規條會讓我受苦，可是之後才有機會選擇另一些新規條，讓我輕鬆愉快做人，這些都需要人生的經驗和他人的陪伴。通過了這些難關以後，才能夠出現良好的夫妻關係，而不是一方演父母，而另一方扮孩童，父母對孩子發命令；也不會變成兩個孩子在吵架，而是成人跟成人間的建設性溝通。

建設性的溝通是雙向的，你可以提供你的經驗、理論，對方也可以提供他的經驗和理論，兩個人再去研究、探索、分辨、做決定，共同找出方向，走出兩人的人生道路。

「成人」部分的溝通是實現理想婚姻關係的先決條件，也是一種基本生活的心態。基本心態就是不要用父母的態度，絕對化男方或女方家的經驗，而是我的經驗是這樣，你的經驗是那樣，你從父母那裡學來的資訊，和我從父母那裡學來的資訊擺在一起，兩個人一起客觀地分辨，然後再做決定：我們這個新的家未來是怎麼走法。這是一個基本生活的心態。

換句話說，只有我們能做自己的主人，能免受暴君般「父母」的束縛時，兩人才能擁有充實的婚姻。很多時候，我們勉強配偶一定要照我的方式做事情，主要是受父母心態的影響。當年父母一定要我依照他們的意思行事，現在

任修女一番TALK

✤只有我們能做自己的主人，能免受暴君般「父母」的束縛時，兩人才能擁有充實的婚姻。

我又開始扮演配偶的父母，一定要配偶也依照我的意思。不要去保護這種「父母」心態，譬如要求自己家的後代都要一百幾十公分以上才行，不能矮矮小小的。如果人矮矮小小的，但活得很愉快，又有何不可？外在的情況無法改變，我們沒辦法重生，再變成一個高大或身材苗條的人，而是每個階段都有每個階段的身材，不一定要特別規定。如果我們能夠培養一些內在美，生活得輕鬆愉快，這比長得高大卻活得很苦好多了。

做輔導或父母，都需要跟孩子站在同一立場，不能夠自以爲要去保護他，也不能要求他照我的想法，這才是最美的。即使孩子做錯了，離婚再結婚，如果第二次婚姻很順利，也可以啊！這是我剛去國外學輔導時一名七十歲老師告訴我的。那時我的心態還很中國。他說，我的女兒如果跟人家未婚生子以後才學會，或者兒子要結二、三次婚以後才有順利的婚姻，我就放手讓他去。當時我心裡想，會長派我來這裡讀書，來到野蠻的國度了，我們怎麼可以容許子女未婚生子或離婚再結婚？這是很中國人的想法。

這件事距今將近三十年了，我現在完全同意老教授的話。他們假定子女是要這樣翻一個斛斗才可能學習，就像有些孩子要去監獄服刑，再考取大學，那麼就讓他去監獄走一遭啊！考上大學後又往上走，那就好了嘛，不是嗎？爲什麼一定要孩子完全依照我的話去走，然後孩子走得很不愉快。還是說，等到有一天你離開這個世界，他才能開始亂走，那時候你在天上叫，誰下來救他？

任修女一番TALK

✤做輔導或父母，都需要跟孩子站在同一立場，不能夠自以爲要去保護他，也不能要求他照我的想法，這才是最美的。

外遇是危機也是轉機

外遇是一個危機，但有時候也是一種轉機。首先我們要談外遇的起因。

一、過分依賴　爲什麼是危機，又是轉機呢？譬如太太一向很依賴，其實這個依賴沒好沒壞，每個人進入婚姻都會有些壞習慣。如果妻子無意中經常依賴先生，當先生看到辦公室裡的女秘書一點兒都不依賴時，忽然之間，他發現也有女人是很獨立的，他不自覺陷下去了。有一位先生就說：「我以爲世界上的女人都是依賴的。」

其實他並沒有意思要背叛太太，故意搞外遇。在這種情形下，做配偶的要很清楚，是因爲我的依賴而造成遺憾，雖然我是無意的，但從現在開始，我要調整自己的依賴，同時要原諒先生，因爲他不是故意的，這就是一個很大的轉機。婚姻是成長的機會，兩個人都可以開始成長；雖然我是無意的，然而畢竟還是掉下去了，還是要負責任啊！既然掉下去，我就有責任讓自己再爬起來。

二、不被尊重　這是婚姻的致命傷。如果有一方覺得不被尊重，當他出門在外受到別人十分尊重的時候，一定會掉下去。這種婚姻裂口我們做輔導的人怎麼救也沒辦法，除非有一方願意改變自己對配偶的態度，開始學習尊重。有一位太太來談話的時候就說：「我眞的沒有意思不尊重他。我現在清楚了，知道我是學習了媽媽對男人的不尊重，媽媽對爸爸十分不尊重，我也在不知不覺中學會了。」

潛移默化的影響，讓這位太太在無意中把自己的先生看成是爸爸。

在婚姻關係中，先生需要尊重，太太需要愛。對婚姻來說，尊重好像是一個箍子，可以把兩個人圈在一起。一旦沒有這個箍子的存在，婚姻肯定會散掉的。很多時候我們會察覺，自己無意中會出現不尊重對方的言行或態度，雖然我們不是有意的，但是瞭解之後就要做出調整。

三、傳統社會允許男人可以享齊人之福　這讓現代女性很不能接受。雖然現在是一夫一妻制，但因爲傳統的社會允許，所以很多先生說：「我沒有不愛你啊！我並沒有要和你離婚啊！外面有人，並不影響我對你的關係啊！」

這種情形很多，但是絕大部分的太太不能接受，所以在婚前輔導時就要很清楚地告訴男性，三妻四妾的傳統已經過時了，現在你娶的太太受過高等教育，她是不能容忍的。如果你有「男人可以三妻四妾」的迷思，需要開始調整。

四、身體的疆界 有時候夫妻的一方有性方面的癮，沒辦法控制自己，如果他的配偶不喜歡肌膚之親，那麼他一旦被別人擁抱了，就沒辦法拒絕，可能很快就跟別人上床。

這樣的人必須對自己的身體有一個疆界感，這個疆界就是：「我知道和異

任修女一番TALK

✤在婚姻關係中，先生需要尊重，太太需要愛。對婚姻來說，尊重好像是一個箍子，可以把兩個人圈在一起。

性握握手還可以控制，但是除了配偶以外，不能跟任何異性有擁抱的關係。」

外國人一見面就擁抱，我不要去學，因爲我知道自己是有癮的人，被擁抱了就不能拒絕。我必須有自知之明，否則很容易和其他人發生關係，因此演變成外遇會讓自己也很受不了。所以，結婚以後要特別注意自己「身體的疆界」。

化解婆媳緊張關係

婆媳問題主要在於：媳婦和婆婆沒有血緣關係，彼此卻有利害關係，大家都要爭同一個男人，因此產生很多緊張的情況。

一、婆婆本身的個性　如果婆婆是被她以前的婆婆修理過來的，現在「多年媳婦熬成婆」，她自己是熬過來了，無意中會想報復或彌補以前的苦。假如婆婆本身的個性有問題，可能她從沒有長大過，又一直被先生寵，也被兒子寵，這樣的婆婆我們只能去接納，沒辦法改變她。最重要的是跟先生的關係要好，不要去攻擊他的母親，因爲這個婆婆的確是一個有問題的母親。

我們只要表達出自己的心情：婆婆是這樣一個人，我想靠近她，卻又靠不近，我很有挫折感。這樣先生比較能瞭解這不是在攻擊他母親。很多先生都沒辦法承認自己家裡的缺陷，我們不需強迫他承認，只要兩人關係很好，然後一起去面對婆婆，就比較容易處理。

二、競爭的心情　婆婆會覺得娶了媳婦以後，我兒子等於送給你了。她有這樣的心情，可是我們並沒有意思要霸佔她兒子，我們必須用成人的心態面對，就是向先生說清楚，他在母親面前不需要站在太太這一邊。做先生的不論在母親或太太面前，都要保持傾聽的心情，不需要站在某人的那一邊，不然會變成「裡外不是人」。

很多時候自己必須很清楚，必須用成人的心態進入婚姻，而不是想辦法要婆婆喜歡我，這樣就變成很權謀，在耍心機。不管我做什麼事情，要能肯定自己，現在的老人都需要被年輕人接納，所以我是以成人的心態看事情，能接納的地方我儘量接納，不能接納時我要與先生溝通，然後才能成爲一個肯定的人。

三、管教孩子方式　如果婆婆和媳婦管教孩子的態度不同，必須公婆和夫婦兩方面坐下來談清楚，就說管教孩子的事情交給我們夫妻倆來負責，他們可以去愛孩子、陪孩子，可是孩子的教育與管理不需要參與進來。

四、外來因素　有時候是外來的因素影響婆媳感情，有人在挑撥離間。我們必須瞭解問題重點出在什麼地方，然後講出事實和自己的感受，用一顆眞實的心與人來往，同時也和先生、婆婆溝通，瞭解該怎樣面對婆婆，才能達到更佳的共識。

婚姻是一條漫長的路，行爲科學告訴我們，我們必須不斷學習，才能夠瞭解自己與配偶的背景，自己陪伴自己，療自己的傷。如果以前經常用受傷的心跟別人來往，現在，我換一顆成人的心與人來往，我開始要做自己的主人。

如果我在家庭裡被人愛得不夠，必須更懂得關愛自己，而不是把一切不

任修女一番TALK

✤必須用成人的心態進入婚姻，而不是想辦法要婆婆喜歡我，這樣就變成很權謀，在耍心機。不管我做什麼事情，要能肯定自己。

滿、怨恨加諸在配偶身上。做自己的主人才能走上健康美滿的康莊大道，達成百年好合的艱鉅任務。

個性取向決定你對配偶的期望

心理學家佛洛姆（Erich Fromm）分析人有四種基本「個性取向」，不同的個性取向決定個人對婚姻的需要，也決定了對配偶的期望。這四種取向的共同點是：爲獲取個人內心的安全感，我們會傾向祛除焦慮、沮喪、無聊、空虛、沉悶及罪惡感。

在成長過程裡沒有通過某一階段時，人會用一些方法來得到滿足。在理想情況下，每個人進入婚姻前都需要通過以前的階段。當人沒有通過而必須跟配偶相處時，就會出現某種人格取向。有些人爲此付出很大的代價，甚至犧牲美滿的婚姻關係。

一、**接納取向**　具有接納取向的人，相當於口慾期的人格特質。這種人小時候沒有得到足夠的關愛，母親常常要他等待，現在他就不要孩子等了。他小時候沒被愛夠，所以希望孩子依賴他，基本特性就是「你們都可以來依賴我」。進入婚姻後，配偶可以依賴他，這種傾向的人希望由他人處得到所需的滿足，因此對配偶往往有各種不切實際的要求。

人有兩面性，「我沒得到，我也不給人」或「我沒得到，我就要拚命給人」，就看一個人的取向放在哪面。有的人是沒有得到，就習慣去依賴，這輩子就要依賴配偶了。有的人則覺得自己沒得到，在別人身上看到我的翻版，我很不捨得，就拚命去給。一個沒有得到的人不一定完全依賴別人，也不一定完全給別人。而一面倒的情況就是，我沒得到的就不給、不收，或者我沒得到的就拚命收、拚命給。

我們特別要幫助這種人做一個中庸的人。沒錯，你是沒得到，可是有時候你可以去依賴，有時候就要去給予。只有拚命依賴或拚命給一面倒的時候，才會出問題。

一對青年男女爲什麼容易進入婚姻裡？因爲我沒有得到，但碰到了一個拚命要給的人，我們倆就相愛了。表面上是相愛了，似乎早年沒有得到的被滿足了。談戀愛時，你關心這位小姐，因爲想把她帶回去，等到結婚以後你就不給她了，或是一面倒向她要了，那這個婚姻就要出事情。

二、剝削取向　具有剝削取向的人，屬於肛門期的人格特質。以「在人之上」、「超越他人」而獲得自身的安全感。這種人需要不斷控制他人的力量，不能與他人平起平坐，對任何人際關係——包括婚姻——都構成威脅。這種人的論調是：我總是對的，我是領袖，你差太遠了。這樣的人在戀愛過程裡時常出問題，因爲他在成長階段中沒有通過「懷疑」這個部分，總是要站在人家上面才不會懷疑。他必須做領袖，必須比人高、比人行，才不會懷疑自己有問題。

任修女一番TALK

✤ 一個穩定的人與他人的關係是平等的，就是你有時候領導我，我有時候領導你，大家互惠平等。

這種人常常是第二個階段幼兒期沒有通過，他在婚姻中常常要配偶聽他的話，連婆婆或岳母都要聽他的。因爲自我懷疑，爲了證明自己是有能力的人，所以才需要站在別人上面。

一個穩定的人與他人的關係是平等的，就是你有時候領導我，我有時候領導你，大家互惠平等。所以，有這種人格取向的女孩常常要獨身，因爲她要壓倒別人，男生若不要被她壓倒，就很難談成戀愛。

做輔導的人就是要去觀察、提醒，看到她可能需要什麼。她應該去陪伴自己裡面受傷的、小小的我？常常懷疑自己的能力不夠，所以需要信心？這種人在幼兒期說「不！」卻常被拒絕，或是問「爲什麼？」也被拒絕，所以很懷疑自己的能力。

三、佔有取向　具有這種個性的人，對外界的一切毫無信心，他們的安全感奠基於必須儲存很多東西，覺得任何耗損都是威脅。在這種人的想法裡，愛是佔有，對於自己愛的人往往不願給他們自由與獨立。同時，這種人也很怕被套牢，沒有安全感，總是要霸佔別人。我回家，你就要在家。一個具有強烈佔有性的人，需要愛的保證，不論配偶給多少保證，他永遠無法相信自己會被人愛，主要的癥結在於他童年沒有感覺到被愛。

四、市場取向　這種人視自己在市場中的交易價值而決定自身價值，而不認為自己是獨特、有尊嚴的人。我常常強調，我能做的事，沒有別人能完全取代。你能演講自己的東西，可是我講的東西就是跟別人不同，也就是說要有自己的尊嚴、自己的價值感。依賴市場的評價，他就沒有這份尊嚴，而會依賴：「啊！我演講有好多人聽，可見我講得多麼好！」

不是的！有時候只有一位來賓來聽也是講得很好，就是我能做的，我都做

任修女一番TALK

✤當一個人以他人的評價為重，而不重視自我評價時，一旦他期許於市場的價值未能得到，婚姻關係必定受到打擊。

了，這就是很好，而不是我做的事有多大價值。我這個人上天只給我十個元寶，十個都擺出來，那就夠了。假如別人有一百個元寶，那是別人的能量。

當一個人以他人的評價爲重，而不重視自我評價時，一旦他期許於市場的價值未能得到，婚姻關係必定受到打擊。他缺乏內在的自我肯定和自我實現，不覺得雖然我做的只是小小一份，但這是我所能給的全部，這就是美，而且很美！每個人都需要這樣的自我肯定，因爲結婚以後，先生會碰到更漂亮、更能幹的女人，太太也會碰到更英俊、更瀟灑的男士，我們現在就要欣賞現有的，而且現有的就是最好的。

首先要能欣賞目前有限的我，然後內在才能夠穩定，否則這個有限的我都覺得自己好糟糕！別人都比我行！那麼，我永遠不得安寧，這是十分重要的。每個人在基本的人格傾向上需要有一個根基，如果沒有，婚姻是一件很痛苦的事。

人格發展與婚姻生活

當一對青年男女陷入愛河時，可能滿腦子認爲既然我們相愛又愛得很深，我們可以相互扶持、共走人生的道路了。可是根據輔導的經驗，一見鍾情的愛不夠深入，因爲愛需要時間培養。

一見鍾情是很靠不住的。兩個星期前有一對未婚夫妻來找我談話，他們認識六星期就訂婚了，兩人很相似，也很談得來。我很清楚這兩個人都是背景裡缺少關愛的人。

他們雖然有很好的父母賺很多錢給子女花用，可是整個童年卻由傭人或阿媽帶大。阿媽、傭人都關心他們，然而愛的層次只停留在食物等於愛的階段。

我請大家細細體會一下，小孩擁有任天堂、電視遊樂器等許多玩具，但是缺乏人與人的關係。長大之後，他們需要和人建立關係，就去結死黨，或碰到第一個異性就同病相憐，我們倆可以談，而且很談得來呀！所以六個星期就訂婚，真把我嚇了一跳。

當然我是輔導，不能在他們面前顯露驚嚇，影響他們。可是我裡面還是有點擔憂，我很清楚這是你們兩人同病相憐，剛巧碰到童年缺陷的地方，互相被對方滿足了。

還有另一位離了婚的小姐，她說當年跟先生談戀愛時，先生的妹妹是她的同學，所以經常去同學家玩，最後嫁給這家的長子。這位長子受到很多保護，連談戀愛都要母親幫忙追女朋友。這位小姐長得很漂亮、可愛，也很懂事，她是家裡的第三個孩子，乖乖長大的。男孩的母親一看就中意，不是那個小男生看中的啊！看中了就幫兒子追。離婚之後，這位太太反省：「當年我想選的不是我先生，而是我的婆婆！她很關心我。我在家裡是第三個女孩，媽媽一連生了三個女兒，情緒很不穩定。記得小時候我坐在便盆大小便，早就便完了，卻沒有人來幫我擦。」

看到了嗎？沒有關愛！所以她說：「婆婆對我這麼好，我就不想回家囉！

訂婚後那裡就變成我的家，我找到了媽媽！」

這裡我要說明人們談戀愛有很多原因，而這些原因可能是成長過程裡的缺陷。

我們再一次看看人的成長過程，這個成長過程和如何選擇配偶、婚姻生活有什麼關係？爲什麼要瞭解小孩如何長大？進入老年如何面對死亡？這與婚姻有什麼關係？美滿的婚姻和個人性格有很大關係，性格成熟婚姻就已經成功了一半。

在談戀愛的過程中，青年男女的情緒衝力超過理智，而人的成長是情緒和理智的整合。進入婚姻的男女可能一個理智比較發達，一個情緒比較發達，婚

任修女一番TALK

✤美滿的婚姻和個人性格有很大關係，性格成熟婚姻就已經成功了一半。

姻是成長的機會，我們要將情緒和理智整合起來。

從整合情緒和理智的角度去看，人的成長是多方面的，而我們認識人格發展階段的重點是放在人的心理成長，亦即人願意利用天賦的意志進行改變與成長。接下來，我們必須瞭解成長的階段。

艾瑞克森（Erik H. Erikson）是一位著名的心理學家，他把人的成長分爲八個階段。如果第一個階段沒通過，就很難進入第二個階段。當我們跟子女或受輔導者經年累月來往，卻可能發現他連嬰兒期都還沒有通過。我們要不斷地幫助他通過成長期，幫助他得到滿足。當他意識到了以後，就可以改變了。

人必須意識到自己的某些脆弱傾向，然後才能逐漸掌握缺陷而達到成熟階段。例如我發現我的自信心還沒有成熟，而嬰兒期是培養自信心的時候，意識到之後我不斷在信心上肯定自己。我們採用卡爾・羅吉斯（Carl Rogers）以案主爲中心的原理，他認爲人本身的情緒穩定、得到滿足時，就會自己成長，我們不必去幫他成長。成長是每個人意識到之後就會去做的事情。

在個別或團體當中，我們以接納的態度和青年男女相處，幫助他們意識到自己的成長階段，即使他已經二十五歲了，可能還停留在一點自信心都沒有的狀態，沒有關係，不要用責備的態度對他說：「你年齡那麼大了，唸過很多書，能力也夠強，怎麼還沒有自信心？」而是以「我瞭解你」的態度，你出生到一歲時可能沒有人關照或只是交給佣人打理，或者有時候你哭了很久，奶瓶才來。

我們就是要去肯定這不是他的錯，而是當時的環境造成的，幫助他意識到成長階段和人格的優缺點有關係，他們不需要在自衛（怕被攻擊而保衛）的狀態下認識這一切。我們用接納的態度，逐漸地他也接納自己的感受、衝動和本能，進而接納自己和別人。

任修女一番TALK

✤一個能夠接納自己的人，才能夠接納別人，才能夠認識到自己是有軟弱的。

一個能夠接納自己的人，才能夠接納別人，才能夠認識到自己是有軟弱的。

當年我們都是一個無能的小孩，出生以後全依靠父母，但是可能父母性格尚未成熟，我們的發展也因而停頓。現在我們要學習接納自己和別人，達到自我實現的成熟階段。

專家們說，婚姻問題是性格問題。性格成熟的人，婚姻已經成功了一半。我們現在就來看艾瑞克森所講的人格發展八階段，重點不是強調成長情況，而是看看成長過程裡沒有得到的需求怎麼影響我們的婚姻生活。

〈性格與婚姻〉

嬰兒期：奠定性格成熟的基礎

出生到一歲是培養自信的時期，如果培養成功就會發展出信任，反之就會出現不信任。

嬰兒期的孩子要得到健康的發展，就需要一個負責任、有信心的母親。嬰兒出生後沒有理智，只有感受。當母親把他抱在胸口時，嬰兒能感覺到母親心跳不規則，感覺到母親在那裡慌，理智上他不清楚這是怎麼回事，但他跟母親是連在一起的。母親慌，他也會慌，不但是出生以後，在母胎裡母親的心情也會影響小孩的心情。有些孩子出生後比較會哭，主要就是母親懷孕時情緒或生理很不穩定。有些母親害喜得很厲害，也可能是因爲她的情緒不穩定。

一般來講，女人懷孕應該很高興，準備迎接一個小生命的誕生。如果她和先生的關係很好，自己童年時期也過得很好，就能夠成爲一個穩定的媽媽。

但是，母親本身可能並不是很穩，就像我的母親生了五個女孩，她懷我的時候戰戰兢兢，擔心會不會又生女兒！這個戰戰兢兢的心情讓我從出生到四十五歲都很不穩定，覺得人生好像什麼事都浮浮沉沉的啊！我就是感覺不安，搖搖擺擺的不安。母親不需要大學畢業，更不需要擁有博士學位，母親穩不穩定對小孩十分重要。

婚姻是一條很漫長、坎坷的道路，一定有很多不安定、不清楚、不瞭解的地方。對婚姻有信心就是雖然我不清楚路上會有什麼障礙，可是相信我們會通過。這個相信就是信心，從出生到一歲時就在裡面了。在團契或跟我們來往的青年，如果有人很沒有信心，我們就要去多陪伴他們。

如果父母沒有陪伴孩子度過童年，現在孩子已經二十五歲了，那還來得及，就是當他有困難時握著他的手，告訴他我們不知道事情會怎樣演變，可是相信我們會順利通過。我們要不斷給他這樣的訊息，不斷在很小的事情上強調：媽媽是不清楚，可是相信我們會通過。母親的這個相信，需要孩子一出生後，常常撫摸、擁抱小孩才能培養出來。撫摸和擁抱是小孩感覺到被愛的經驗，這很重要。一些沒有被父母撫摸、擁抱的青年男女，一旦被同年齡的異性撫摸、擁抱了以後，喚起了他很渴望的肌膚之親，然後就沒辦法說「不」了。你叫我上床，我就乖乖上床啦！

父母或輔導者都不願意孩子在精神、情緒上還沒有清楚認識時，就進入身體的親密。我是修女，一輩子沒有結婚，但是可以體會男女還沒有很深入交往，就有身體的暴露，這是很尷尬的事情。

所以，嬰兒需要被母親撫摸、擁抱夠，也需要被周圍人撫摸、擁抱夠，而不是我看見一些母親因爲忙碌，就在奶瓶下方擺一塊布，奶瓶架在那裡，然後小孩就吸這個奶瓶。依照人類的餵養規矩，嬰兒吸奶時需要母親的撫摸和擁

任修女一番TALK

✤嬰兒期的孩子要得到健康的發展，就需要一個負責任、有信心的母親。

抱，緊緊地抱，讓嬰兒感覺到食物與身體的接觸，還有愛的接觸。

然而，有些小孩得到過多的關照，還沒哭奶瓶就來了，這也不太恰當。哭是傳達「我現在餓了」的訊息，是小孩想辦法要滿足自己的需要，所以哭對小孩也十分重要。但是溺愛的父母不等小孩哭，奶瓶就已經到了。這讓小孩不需要爲自己的需求努力，建立了將來婚姻生活不需要爲自己的需求努力，可以靠別人，可以依賴……等個性。依賴的個性在出生後不久（三歲決定一生）已經種下了根源。信任來自良好的母職，不信任則來自撫愛需求不足或支離破碎。如果撫愛太多，就會完全依賴，沒辦法跟父母分化。

所謂分化，就是分離出去。《聖經》講得很清楚，人長大後要離開父母，跟配偶結爲一體。如果嬰兒期階段給的關愛太多，他就無法分化出去。到了結婚時，就可能發生問題，無法跟配偶結爲一體，還是不斷地在找父母。因此，嬰兒期的信任產生日後的信任；而此時期的不信任，則是日後害怕親密關係的原因。

父母的愛若是支離破碎，這個小孩就很怕被拋棄。例如我是第五個女孩，父母原本不想要的。如果進入婚姻，這女孩就會乖乖的，因爲怕被別人丟掉。她這個害怕的心情是早年的經驗，成年後雖然有能力謀生，可是感覺上還是怕被拋棄或套牢。

怕被套牢是因爲父母自己沒有成長，需要被依賴，於是不容許小孩長大。這個不容許是潛意識的不清楚，例如母親很多需要都是由關照小孩當中得到滿足，結果造成小孩理智上也不清楚，但感覺上很清楚：就是母親需要我，我必須滿足她需要被依賴的需求。這樣一來，母親會黏小孩黏得很緊。

有些小孩到了青少年時，終於發現不跟母親在一起、和同伴相處是那麼輕

任修女一番TALK

✤信任來自良好的母職，不信任是來自撫愛需求不足或支離破碎。如果撫愛太多，就會完全依賴，沒辦法跟父母分化。

鬆。他不需要照顧母親的需求，可以盡情做自己。這時候他想要掙脫出去，所以很怕被套牢。等到談戀愛時，他不願意跟人很近，怕近了以後就會被套牢。因爲母親不是無條件地關愛，要他一直做小孩，而且經常要照顧母親的需要。所以這個孩子進入青少年階段後不願意跟人靠近，怕靠近之後，又是一個負擔。也就是說，當媽媽能無條件付出關愛時，小孩才可以做自己。

這個階段建立了日後性格成熟與否的基礎。很多怕被拋棄的孩子只會唯唯諾諾，不懂得照顧自己，進入婚姻後很辛苦啊！都是完全讓對方滿意，讓公公、婆婆滿意。

我們要讓年輕人生活在現時現地，雖然他可能受過高等教育、已經有能力養家、結婚，但這個能力只是物質上的，而不是心理和精神方面的，我們可以幫助他們通過早年的傷害，學習肯定自己。

〈性格與婚姻〉

幼兒期：發展承擔責任的勇氣

二歲到三歲是學習自主的時期，自己發展出承擔責任的勇氣。

所謂承擔責任的勇氣，就是可以打點自己的生活，開始學習走路。父母在這個階段要給他安全感，而不是限制，特別在這個階段也是培養大小便的時期。

小孩學習把握或釋放的能力，是在訓練大小便中培養的。能力還沒有培養出來時，可以有差錯，無所謂好壞。這時候孩子需要探索，我們容許他可以去冒險，但是父母要在旁陪伴，才不致發生危險，而不是一味限制。如果小孩摔跤了，父母正好可以在旁扶持，然後他才能夠自主，對自己不會產生害羞和懷疑。

一個小孩能夠自主，能夠從自主中產生自傲，覺得自己和大人一樣，能照顧自己生活上的需要。恰當地管理自己的大小便，這會讓小孩感覺很安心。幼兒玩耍常忘記上廁所，父母要提醒：「是時候囉！該去坐一坐囉！」這樣就不會讓他急得要命，不小心弄在身上又產生挫折和失敗感，所以這個陪伴十分重要。

這時候小孩已經可以培養出一個習慣：玩固然重要，可是照顧自己生理上的需要更重要。這個根基就是靠父母在孩子小時候的悉心照顧和打理，如果沒有培養，孩子就會變得害羞、懷疑，或是認為玩比照顧人生更重要。

〈性格與婚姻〉

遊樂期：在遊戲中滿足需要

四歲到五歲是培養自動自發的階段，讓孩子主動尋求自己的需要與欲望的滿足。

小孩在這個階段用遊戲來滿足需要，他和其他小朋友一起學習扮演父親、母親。遊樂期也是一個有很多幻想的時期，遊樂是具體的事件，操作、遊戲則是小孩的工作。小孩在遊戲中學習如何滿足自己的權威和欲望，也滿足做小大人的欲望，然後他就比較清楚人要在具體的行爲中去實現、滿足自己的需求。

這時候小孩的理智還沒有發達，但是情緒和幻想十分強烈，父母必須容許他在遊戲中玩耍，否則以後他會迷信命運，以爲依靠傳奇可以解決人生問題。

小孩在遊樂中逐漸做小大人，實現自我，所以這時候也是小孩說「我不要」的時候。父母要恰當地容許小孩可以說「我不要」，也要讓他體會「我不要」

的後果。雖然小孩只有三歲，但是決定不要，就會少了一些可以享受的經驗，所以大人要陪著訂出規範來，小孩說不要吃飯要去玩，好，可以去玩，可是飯馬上就收掉了，然後小寶貝肚子餓了，看他要吃飯還是要玩。

這個處理「我不要」的經驗，可以幫助小孩的理智和情緒一起成熟。情緒上是「我不要」，但是我們要讓他經驗不要的後果是餓，下次他還是「我不要」或「我要看電視」「我要去玩」時，小孩只有情緒沒有理智，媽媽就要理智地告訴他：「你那天沒吃，記不記得啊？你餓了，記不記得啊？」

這時候他從情緒反應進入到經驗的體會：對呀！那天的確很餓啊，好餓啊！父母有意讓孩子學習，但是旁邊的爺爺、奶奶說話了：「快餵他，都快把他餓壞啦！」

父母回答：「餓不死啦！就是要讓他經驗一下餓啊！」然後又對孩子說：「寶貝，你自己可以選擇一下：要餓還是要玩？」

這就是進到經驗體會的層面了。有些孩子要是餓得很厲害，就會想到：「不要玩了，我要去吃啦！」下一次他還會跑出同樣的問題，因爲他是小孩呀！他的情緒還是我不要吃。母親提醒他：「媽媽說過你記不記得啊！上次不吃飯肚子餓了，……」

他記起這個經驗來了，這就是他學習的重點，他說：「我要啦！」因爲他不想再去餓，所以這個餓一定要讓他餓夠。

我認爲，人一錯、再錯，不思改進，主要就是他的苦沒有受夠啊！父母容許他餓肚子，他回憶起餓的難過就會說：「我要，我要去吃飯！」

這個「要」還是很勉強，等到他逐漸長大，才知道要安於本分，安於該吃的時候就是要吃。人是能夠做選擇、決定的。小孩選擇不要挨餓。於是以後就安於做選擇，這是從情緒、理智進入兩者整合的過程。這原本是十分簡單的事

任修女一番TALK

✤ 小孩在遊樂中逐漸做小大人，實現自我，所以這時候也是小孩說「我不要」的時候。

情，可是做父母的很少花時間教導小孩這樣的經驗。我們常常發命令：「趕快給我去吃！不吃就打屁股！」

小孩沒有學到自主做選擇的經驗，只不過是怕打屁股，所以就去吃了。他不清楚爲什麼要吃，因爲從沒有挨餓過。有的母親跟小孩說非洲的小朋友沒有飯吃，他竟然說：「沒飯吃？那吃牛排好了。」這就是他沒有類似的人生經驗，所以做父母的要容許他選擇，我們家原本是不需要挨餓的，然而就是要讓小孩挨餓，學習自主做選擇。

幼兒期和遊樂期主要是學習自主與自動自發，小孩理智尚未發展，可以充分運用運動、幻想和「理由」來發展。父母要不斷耐心地回答小孩的問題，讓他逐漸學習發展出一個理想和目標；相反地，如果父母不跟小孩在一起，小孩也就沒有任何學習的管道。

回答問題時，你可以講很多故事，故事裡不單是理論，還有人生經驗。這個故事不是講古時候的事情，而是講你做父母的人生經驗，如此一來小孩才能逐漸發展成一個健康的人。否則，他不能自動自發，自覺是個無能的人，就很有罪惡感、很不舒服，他的幻想又很強烈，罪惡感和幻想就經常在腦子裡面打轉，就變成整個人生都有罪惡感、懷疑和自認不行，這都是從這個階段開始的。

任修女一番TALK

✤人一錯、再錯，不思改進，主要就是他的苦沒有受夠啊！

〈性格與婚姻〉

學齡期：培養勤奮合作的習慣

六歲到十一歲是合作的時期，要學習和學校同年齡的孩子一起合作。所謂合作就是有時候我要依照別人的意思，有時候別人要依我，而不是一味要求別人都聽我的。在這個階段要不斷努力學習一技之長，培養勤奮的習慣。

值得注意的是，我們中國人很可能把勤奮變成唯一的價值，不斷在努力、學習、發展。在經濟上，學習一技之長是有能力維持一個家庭，可是過分強調就不會注意人與人的關係了。在婚姻生活裡，中國人的民族性比較容易著重在經濟上的一技之長，我們常常碰到所謂「很有出息」的先生，他們一直在經濟上發展，但不注重人際關係。

事實上，小孩在六到十一歲的學齡期學習一技之長固然重要，可是人和人的關係協調、如何跟其他小朋友合作也同等重要。如果缺少這樣的學習，未來婚姻就會發生問題。

許多先生過分強調成就，把工作帶回家，在書房埋頭苦幹，小孩和家人都沒辦法得到精神與情緒上的關照，造成小孩長大了，親子關係貧乏，和太太也沒有愛的關係，然後很辛苦地過不了六十歲這關。重點是，他也不關照自己。

我們每個人要很清楚：培養技能、學習一技之長固然重要，但是也不要忽略關照自己。

〈性格與婚姻〉

青少年期：感受他人的世界

十二歲至十八歲是自知期，要避免產生認同和角色的混亂。進入青少年期，需要對自己有一個清楚的認識。所謂清楚的認識，就是他知道自己有哪些優、缺點。

如果前面四個時期沒有好好跟父母在一起，現在進入這個階段，父母除了要整合孩子的情緒和理智之外，還要肯定他的能力。孩子每學會一件事情，父母都要讚美。

有時候，我們理智上知道可以去做很多事情，感覺上卻是一片空白。例如有些人很會演講，可是每次都很戰戰兢兢。他可能已經發表過很多次成功的演講，可是仍然沒有足夠的肯定，造成他不知道自己能力夠不夠（不是理智上的不知道，而是感覺經驗上的沒有被肯定）。小孩需要讚美，每學會一件事情，父母就要去欣賞。當小孩上幼稚園時，對母親說：「媽媽，這是我畫的畫。」

媽媽在廚房裡忙，只回答：「啊！知道了，知道了。」她的眼睛都沒有去看小孩的畫，所以小孩沒有受到肯定。

小孩學會畫畫了，卻沒有感覺到自己會，因爲前面這四個階段一直沒有得到整合，或者仍停留在嬰兒期，沒辦法進入後面三個階段。艾瑞克森很清楚說明每個階段都有其任務，如果沒有達成，就沒辦法進入後面的階段。人可能在嬰兒期就被禁錮了，已經沒有信心了，後面再怎樣做也是停留在嬰兒期。

經歷了幼兒期、遊樂期、學齡期，才逐漸和別人有關係，慢慢知道理智上要成熟，不能自我中心，要做一個穩定的人。完成了這四個階段的任務，一個人才能夠好好體會別人的心情。

心理學家認爲，小孩在十六歲以前無法體會別人的感受，就像人長大了，女生要有月經，男生要有夢遺，他們才會生孩子。這是一個年齡的問題。同樣地，人在精神、情緒上要有能力體會他人的感受、體會別人的世界，甚至不單是別人的世界，還有別人感受的世界，這是到十六歲以後才產生的。

如果前面四個時期都還停留在自我中心，只是憑自己的情緒、感覺在反應的話，怎麼可能去體會別人的感受呢？要成功走過前面四個時期，才能夠做一個肯定的人，才知道自己是什麼樣的人、現在在哪裡、要走到人生哪一個地方。

學會了信任、自主、自動自發、勤勉，才會有一個認同，知道自己是什麼樣的人？我的前途和目標是什麼？要怎麼樣向前走？

如果前面四個時期都沒有好好通過，一個人選擇職業沒辦法成功、經濟上沒辦法獨立，也沒辦法談戀愛，無法為另一個人負責。現在先不談精神、情

任修女一番TALK

✤學會了信任、自主、自動自發、勤勉，才會有一個認同，知道自己是什麼樣的人？我的前途和目標是什麼？要怎麼樣向前走？

緒，即使在經濟、物質上也沒辦法負責，而這個發展障礙來自沒有能力選擇職業或過分認同小團體、死黨。童年生活裡缺乏人和人的關係，就只能向外發展找死黨，讓那些幫派爲我生、爲我死，尋覓和人同生死、共患難的經驗。

〈性格與婚姻〉

青年期：建立親密關係

十八歲至三十歲是成年的前期，前面提到人要到十六歲才能體會別人的感受。在婚姻生活中，同理心是十分重要的一環。青年期是友誼期，是建立親密關係的時期。

人最重要的特色是喜歡爲另一個人謀福利，這能夠增強人的自尊。「另一個人」首先必須是自己，就是人能夠打點自己的福利，這需要前四個時期不斷成長，經驗到父母把他看成是多麼重要的寶貝。事實上，一般父母都把孩子看得十分寶貝，可是我們常常只停留在食物就是愛的階段，沒有進入孩子的眞正內在。

我們要檢視自己：有沒有設身處地去體會孩子？我們有沒有在意他？去體會他的心情？

有一位太太的嬰兒只有幾個月大，先生好像出國去了，她就在那裡哭天哭地、不停地哭。那幾個月大的嬰兒好像要挪動過來靠近她，她不敢相信這麼小的嬰兒會這樣做。等到先生回來，她又哭天哭地，哭得嬰兒還是想靠過來。你看，嬰兒才幾個月大就有感覺啊！推動自己做無能爲力的事，就像遇到緊要關頭時，我們都會做一些出人意料的事情。

記得小時候我看到一戶人家失火，當時的人去世，家人會先把棺木擺在家中。棺木非常重，抬棺要十幾個人。可是一失火大夥兒很緊張，不願意父親的棺木燒掉，夫妻倆就把棺木抬出去。過一會兒，丈夫說：「不知道剛才我們是怎麼抬的？」

感受是一種力量，在緊要關頭時會逼人做出令人驚訝的事情。這個嬰兒雖然只有幾個月大，看到媽媽哭，就要移動過來。我輔導過另一位太太，她的小孩三歲就患了癌症，她跟先生的關係很壞，常常一吵架就哭，小孩二歲時就會拿衛生紙給媽媽擦眼淚。這小孩消耗了多大的精力啊！可是我們常說：「他反正不懂嘛！我們吵，他不懂！」

他很懂，只是理智上不懂，感覺上卻很懂。所以我們首先要懂自己的感受，才能體會別人的感受。我們做父母的都超過十六歲了，有能力體會孩子的感受，這樣孩子到青年期一定能夠關愛另一個人。

關愛另一個人是，我跟他即使出生入死也不害羞，這個出生入死是精神、情緒上的出生入死。每個高大的男生都有一個出生入死的心情，都需要推心置腹向人表達內在的弱點。因爲他是男性，小時候父母給了他很多規範，男人不可以哭、不可以示弱、男人有淚不輕彈，我們能夠體會他的感受希望被人接納，然後他也能接納自己可以有感受，才能跟另外的個體建立親密關係。

任修女一番TALK

✤ 我們要不斷用瞭解、體貼、接納的心情陪伴子女。我們可以犯錯，可是當時是因爲不清楚，不知者無罪，我們不要把罪惡感搬到現在的人生旅途來。

現在的女性要結婚，並不是因爲經濟能力不足，而是要找一個可以跟她推心置腹、關愛自己的人。愛和被愛、心靈的溝通、推心置腹的關係，這需要做父母的在前四個時期就去關照。否則，孤獨一個人乏人關心，無人分享，孩子的發展會受到阻礙，這是我們做父母的要去瞭解體會的。

瞭解體會就是能夠同理子女的心情，不要隨便運用父母的權威說：「這麼大了，還在哭哭啼啼！」「這麼大了，還不會打理自己。」

他要哭哭啼啼，也是好事情。

我現在七十幾歲了，還有好多地方還是很軟弱，很需要自己不斷陪伴和關心那個怕被拋棄、小小的我。我們都不是心理學家，即使是，在培養孩子的過程中也難免有錯。

我們要不斷用瞭解、體貼、接納的心情陪伴子女。我們可以犯錯，可是當時是因爲不清楚，不知者無罪，我們不要把罪惡感搬到現在的人生旅途來。我可以出錯，但從現在開始可以重新來，一錯馬上調整就可以了。我還是會錯，但是愈來愈快發現自己出錯了。

〈性格與婚姻〉

成年期：與自己、環境合宜共處

三十歲至五十歲是創造期，可以傳衍、停滯或自我吸收。進入中年，經歷了養育子女、成家立業的艱辛，也發現自己開始要走下坡路了。如果個體發展得很好，是可以決定走下坡路的。子女會傳衍我正在進行的活動與人生旅程，所以我可以結束、告一個段落了。我到站了，可以下車了。如果人發展得很好，可以休息，就像每天晚上期待睡眠時間來到，那時候我可以什麼都不管了，好壞我都盡過力，不再去煩惱，雖然結局可能並不是很美好。

孩子發展得很好，能做的我都做了，我也會去關懷別人的孩子，包括社會現況、傳宗接代、整個文化的內涵我都會關心，但是也可能在這個階段因中年危機而導致發展受阻。

中年危機是還沒達到我們的希望目標，眼看身體狀況已經在衰退，似乎完成目標的希望愈來愈渺茫，於是開始出現失望、無望的心情。自我吸收的狀態則不同：亦即我已經好好利用了自己的潛能，上天給的潛能我全部發展了，同時也滿足了自己的需要。

有些人在這個時期身體的病症出來了，血壓開始高了、心臟開始擴大或血管阻塞，不能吃得太好，當然也有遺傳的原因。

年紀輕的時候，我可能沒辦法打理自己。年紀漸長，我開始注意健康、滿足自己的需要，同時要發展自己的目標，而不是一味爲成就而成就。我也要看看周圍的人、環境和宇宙萬物有什麼需要。

現在環保問題是最了不起的新發現。人不斷要跟自己、家人、周圍認識的人以及社會上有需要的人，都要有合宜的感覺，還要跟宇宙萬物共同呼吸。這樣的人才算眞正進入成人期，才會覺得我已經做了自己能做的，可以休息了。每天晚上我都很期望什麼都不管，這樣的期望才能令我覺得可以到站下車，可以什麼都放下。

〈性格與婚姻〉

成熟期：繼續成長的整合期

五十歲以上是統一期、整合期或絕望期，步入生命的晚年，這時候該退休了。我要休息，不需要繼續成就了，整合的感覺來自回顧一生而覺得滿意。所謂覺得滿意並不是自己沒有失敗。我也有失敗，可是失敗是一個過程，我也有不稱心的地方，到現在爲止我還有尚未發展的東西，所以我還可以活下去呀！

當人還有一口氣，一定有不完美的地方，還可以繼續成長，這個人才活得有意義。不然的話，就是古井不波，到此爲止了。這就是說，人有尚未達到的部分，雖然回顧自己的一生，可能失去了很多機會，但仍可以繼續不停地成長。假如這個觀念沒有通過的話，就是最初四個時期沒有通過，這樣的人很容易回到注意自己的需求上，常常以自我爲中心。

假設從工作退休了，退休以後還懂得其他價值，還是可以活得很有意義呀！如果我的人格組成是小時候受過傷，我還是可以不斷陪伴自己，不斷改變，不斷更愛主、更愛人、更像神，更像神就是我的關愛能力更擴大。如果小時候沒有這方面的培養，到了五十歲便很難熬呀！可是現代生活比較沒有關係，五十歲的人可以參加長青團體，他們也不斷在精神、情緒上成長。

[illegible] Costco [illegible]
[illegible] El Camino [illegible]
San Francisco, CA

[illegible]

[illegible]	[illegible]
Date	07/07/1[illegible]
Time	11:[illegible]
Auth #	[illegible]81[illegible]

[illegible] Acct #
XXXXXXXXXXXX[illegible]16

Pump	Gallon	Price
[illegible]	7.27[illegible]	$ 3.979

Product	Amount
Unleaded	$ [illegible]

Total [illegible] $ 28.[illegible]

SALE Card Swiped
APPROVED
Tr[illegible]

Thank You For

張老師文化智慧的書目

一、現代心理叢書

中國人的追尋系列		定價	備註
J11	鹿港阿媽與施振榮——施陳秀蓮的故事	200元	
J14	為者常成，行者常至——李鍾桂的生涯故事	200元	

二、生活叢書

生活技巧系列		定價	備註
A1	讀書與考試	60元	
A9	怡然自得——30種心理調適妙方	130元	
A10	快意人生——50種心理治療須知	120元	
A11	貼心父母——30帖親子相處妙方	120元	
A12	生活裡的貼心話	150元	
A13	讀書會專業手冊	250元	
A14	創意領先——如何激發個人與組織創造力	250元	
A15	大腦體操——完全大腦開發手冊	120元	

愛·性·婚姻系列		定價	備註
E1	生命與心理結合——家庭生活與性教育	150元	
E2	永遠的浪漫愛	220元	
E6	從心理學看女人	110元	
E9	告訴他性是什麼——0～15歲的性教育	150元	
E10	外遇的分析與處置	140元	
E12	金賽性學報告·親密關係篇	220元	平裝
E13	金賽性學報告·身心發展篇	220元	平裝
E14	金賽性學報告·衛生保健篇	220元	平裝
E18	春蝶再生——女性二度成年的新發現	180元	
E29	偷看——解讀台灣情色文化	180元	
E30	台灣情色報告	180元	
E31	中年男人的魅力——流暢·健康·性歡愉	200元	
E34	愛情功夫	200元	
E35	性心情——治療與解放的新性學報告	220元	
E36	外遇——情感出軌的真實告白	280元	
E37	我痛！——走出婚姻暴力的陰影	220元	
E38	愛情學分 ALL Pass	180元	
E39	我的愛人是男人——男同志的成長故事	180元	
E41	結婚前，結婚後——成長與改變	220元	

親子系列		定價	備註
P1	孩子只有一個童年	100元	
P2	幫助孩子跨越心理障礙	90元	
P3	孩子的心，父母的愛	110元	
P4	孩子的快樂天堂	100元	
P6	阿牛與我	150元	
P7	這一家	180元	
P8	做溫暖的父母	180元	
P9	天下無不是的孩子	180元	
P10	校長爸爸天才囝	180元	
P11	烤媽出招	180元	
P12	尋找田園小學——創造兒童教育的魅力	220元	
P13	不是兒戲——鄧志浩談兒童戲劇	220元	
P14	我的女兒予力——一個唐氏症家庭的生活紀實	250元	
P15	跟狐狸說對不起	200元	
P16	7-ELEVEN奶爸	200元	
P17	父母成長地圖	200元	
P18	做孩子的親密知己	200元	
P19	親子逍遙遊台灣	200元	
P20	親子逍遙遊世界	200元	
P21	孩子的心，我懂。	220元	
P22	你可以做個創意媽媽	230元	
P23	我要和你一起長大—尋找家庭桃花源	250元	

青少年系列		定價	備註
Z1	心中的自畫像——如何認識自我	120元	
Z2	悸動的青春——如何與人交往	120元	
Z3	葫蘆裡的愛——如何與家人溝通	120元	
Z4	輕鬆過關——有效的學習方法	120元	
Z5	孩子，你在想什麼——親子溝通的藝術	120元	
Z6	青少年的激盪—青少年心理及精神問題解析	150元	
Z7	貼身話——少女成長手札	120元	
Z8	貼心話——我說·我聽·我表達	120元	
Z9	少年不憂鬱——新新人類的成長之路	180元	
Z10	想追好男孩——青春族的情感世界	180元	
Z11	上青少年家——青少年完全酷ㄅㄧㄤ丶手冊	120元	

贏家系列		定價	備註
SM2	規劃孩子的學習生涯——3～12歲的全方位親職教育	2000元	

三、輔導叢書

助人技巧系列		定價	備註
C3	助人歷程與技巧	150元	增訂版
C4	問題解決諮商模式	250元	
C5	校園反性騷擾行動手冊	150元	增訂版

團體輔導系列		定價	備註
M2	團體領導者訓練實務	200元	修訂本
M3	如何進行團體諮商	200元	
M6	小團體領導指南	100元	
M7	團體輔導工作概論	250元	
M8	大團體動力——理念、結構與現象之探討	180元	

教育輔導系列		定價	備註
N11	心靈舞台——心理劇的本土經驗	230元	
N12	新家庭如何塑造人	280元	
N13	教室裡的春天——教室管理的科學與藝術	280元	增訂版
N14	短期心理諮商	250元	
N15	習慣心理學——寫在晤談椅上四十年之後	380元	
N16	與心共舞——舞蹈治療的理論與實務	220元	
N17	自我與人際溝通	220元	
N18	人際溝通分析——TA治療的理論與實務	350元	
N19	心理治療實戰錄	320元	
N20	諮商實務的挑戰——處理特殊個案的倫理問題	300元	
N21	習慣心理學（歷史篇）	420元	
N22	客體關係理論與心理劇	400元	
N23	薩提爾的家族治療模式	380元	
N24	焦點解決短期心理諮商	200元	
N25	邁向成熟——青年的自我成長與生涯規劃	220元	
N26	兒童遊戲治療	250元	
N27	臨床督導工作的理論與實務	400元	
N28	10倍速療法——短期心理治療實戰錄	200元	
N29	人際溝通分析練習法	420元	
N30	兒少性侵害全方位防治與輔導手冊	260元	
N31	心理治療入門	360元	
N32	TA的諮商歷程與技術	280元	
N33	敘事治療—解構並重寫生命的故事	420元	
N34	志工實務手冊	450元	
N35	家庭暴力者輔導手冊	280元	
N36	遊戲治療101	450元	
N37	薩提爾治療實錄—逐步示範與解析	280元	
N38	解決問題的諮商架構	270元	
N39	情緒取向V.S.婚姻治療	300元	
N40	習慣心理學・辨識篇〈上冊〉	500元	
N41	習慣心理學・辨識篇〈下冊〉	500元	
N42	快意銀髮族—台灣老人的生活調查報告	220元	
N43	志工招募實戰手冊	270元	
N44	助人工作者自助手冊—活力充沛的祕訣	350元	
N45	家族星座治療——海寧格的系統心理療法	450元	
N46	性罪犯心理學——心理治療與評估	350元	
N47	故事與心理治療	300元	

學術研究系列		定價	備註
L1	由實務取向到社會實踐	220元	
L2	學生發展——學生事務工作的理論與實踐	280元	
L3	我國「諮商、輔導人員專業形象」之調查研究	600元	非賣品
L4	五年制商業專科學校學生生涯成熟度與學校適應之相關研究		非賣品
L5	志願工作機構之人力資源管理策略對志願工作者組織承諾影響之研究—以救國團為例	250元	非賣品
L6	中山先生民族主義對中國現代化影響之研究		非賣品

四、生命哲學叢書

心理推理系列		定價	備註
T6	兒童遊戲治療	160元	
T7	由演戲到領悟——心理演劇方法之實際應用	200元	
T8	心靈之旅八十天——短期分析式心理治療	160元	
T9	桃源二村	250元	
T10	前世今生——生命輪迴的前世療法	180元	
T11	家庭會傷人——自我重生的新契機	220元	
T12	你是做夢大師——孵夢・解夢・活用夢	250元	
T13	生命輪迴——超越時空的前世療法	180元	
T14	生命不死——精神科醫師的前世治療報告	200元	
T15	桃色夢境——性夢解析與自我成長	280元	
T16	你在做什麼?—成功改變自我、婚姻、親情的真實故事	380元	
T17	黑色夢境——惡夢處理手冊	280元	
T18	榮格自傳——回憶、夢、省思	400元	
T19	家庭祕密——重返家園的新契機	280元	
T20	跨越前世今生——陳勝英醫師的催眠治療報告	200元	

T21	脆弱的關係——從玫瑰戰爭到親密永久的婚姻	320元	
T22	家庭舞蹈 I——從家庭治療剖析婚姻關係	220元	
T23	家庭舞蹈 II——從家庭治療探討家人互動	220元	
T24	穿越迷幻森林	320元	
T25	回家：結構派大師說家庭治療的故事	400元	
T26	絕非虛構——心理醫師的驚悚之愛	350元	
T27	當尼采哭泣	420元	
T28	診療椅上的謊言	420元	
T29	愛上警察——警察家庭心理手冊	360元	
T30	聖徒與瘋子——打破心理治療與靈性的藩籬	330元	
T31	前世今生之回到當下	280元	
T32	我的家缺角了——一個心理治療師的觀察	210元	
T33	祕密，說還是不說	360元	
T34	靠窗的那張床—心理成長小說	420元	
T35	請聽，我心—心理醫生的自我分析	300元	
T36	神奇城堡——以愛整合多重人格的真實案例	360元	
	心靈拓展系列	定價	備註
D26	鐵約翰——一本關於男性啓蒙的書	300元	
D27	西藏生死書	350元	
D28	巫士唐望的世界	320元	
D31	完全算命手冊	180元	
D34	性．演化．達爾文——人是道德的動物？	400元	
D36	生命史學	200元	
D37	生死無盡	200元	
D39	巫士唐望的教誨	300元	
D40	心靈神醫	220元	
D41	打開情緒Window	220元	
D42	憂鬱的醫生，想飛	200元	
D43	照見清淨心	180元	
D44	恩寵與勇氣	380元	
D45	解離的真實——與巫士唐望的對話	300元	
D46	杜鵑窩的春天——精神疾病照顧手冊	320元	
D47	超越心靈地圖	300元	
D48	真誠共識——等待重生的新契機	380元	
D49	邪惡心理學——真實面對謊言的本質	300元	
D50	生命教育——與孩子一同迎向人生挑戰	240元	
D51	四十女兒心	180元	
D52	鮮活信仰——卡特的心靈回憶錄	250元	
D53	空，大自在的微笑——空性禪修次第	200元	
D54	誰來下手？	220元	
D55	假如我死時，你不在我身旁	280元	

D56	不知道我不知道	180元	
D57	如何好好生氣——憤怒模式工作手冊	250元	
D58	因為，你聽見了我	220元	
D59	當醫生遇見 Siki	240元	
D60	戰士旅行者—巫士唐望的最終指引	300元	
D61	靈性復興—科學與宗教的整合道路	320元	
D62	我的生命成長樹—內外和好的練習本	270元	
D63	Erikson老年研究報告	400元	
D64	難以置信—科學家探尋神祕信息場	240元	
D65	重畫生命線—創傷治療工作手冊	400元	
D66	家屋，自我的一面鏡子	380元	
D67	你可以更靠更近我	280元	
D68	快樂的十日課（上）	250元	
D69	快樂的十日課（下）	250元	
D70	不無聊啓事錄——十件要做的事，讓你快樂一輩子	200元	
D71	一分鐘心理醫生	250元	
D72	你可以自由——讓受虐婦女不再暗夜哭泣	200元	
D73	這就是男人！	340元	
D74	非零年代——人類命運的羅輯	450元	
D75	打破沈默——幫助孩子走出悲傷	270元	
D76	天空不藍，仍然可以歡笑——練習幽默	270元	
D77	我們並未互道再見——關於安樂死	260元	
D78	巫婆一定得死——童話如何形塑我們的性格	320元	
D79	用心去活—生命的十五堂必修課	260元	
D80	艾瑞克森—自我認同的建構者	370元	
D81	放心，陪他一段—照顧者十二守則	260元	
D82	憂鬱心靈地圖—如何與憂鬱症共處	290元	
D83	重新發現時間	260元	
D84	勇敢笑出來。—不要放棄幽默	320元	
D85	成功就是現在—大器晚成的祕訣	300元	
D86	慾望之心—了解賭徒心理	300元	
D87	寫自己的壓力處方	320元	
D88	我的哭聲無人聽見——孤單與健康	460元	
	心靈清流系列	定價	備註
R1	生命果真如此輕易	140元	
R2	這會是一季美好的冬	140元	
R3	老實做人	140元	
R4	回首生機	140元	
R5	但願無悔	140元	
R6	感應之情	140元	
R8	一畦青草地	140元	

R9	貼近每一顆溫柔的心	140元	
R11	二更山寺木魚聲	140元	
R12	離家為了一個夢	130元	
R13	眼前都是有緣人	130元	
R14	溫馨故事	140元	
R16	開悟心燈	140元	
R18	天天好心情	200元	
R20	時時樂清貧——我的清貧生活	160元	
R22	找回快樂的心	200元	
R23	心靈真情書	180元	
R24	印地安之歌	180元	
R25	不小心，我撿到了天堂	250元	
R26	我在雪地上跳舞	230元	
R27	辦公室智慧 200	220元	

人與自然系列		定價	備註
NB1	傾聽自然	200元	
NB2	看！岩石在說話	200元	
NB3	共享自然的喜悅	180元	
NB4	與孩子分享自然	180元	
NB5	探索大地之心	180元	
NB6	細說生命華采——愛默森的自然文選	160元	
NB7	學做自然的孩子——國家公園之父繆爾如何觀察自然	180元	
NB8	國家公園之父：蠻荒的繆爾	250元	
NB9	你也可以帶孩子和自然玩	210元	

文化顯影系列		定價	備註
K1	台灣田野影像	240元	
K2	台灣綠色傳奇	240元	
K3	燃燒憂鬱	240元	
K4	久久酒一次	240元	
K5	天堂樂園——電影．文學．人生	180元	
K11	棒球新樂園	180元	
K13	性與死	220元	
K14	異議筆記——台灣文化情境	180元	

心靈美學系列		定價	備註
Y5	心情國度	140元	
Y6	人生是福	140元	
Y7	讓我擁抱你	140元	
Y9	阿保的童話	110元	
Y10	小鎮人家	110元	
Y11	十月的笛	110元	
Y12	森林小語	110元	
Y13	蘋果樹	110元	
Y14	疼惜自己	100元	
Y15	玩得寫意	100元	
Y16	彼此疼惜	100元	
Y17	老神在哉	100元	
Y18	和上蒼說話	100元	
Y19	心中的精靈	100元	
Y20	新鮮上班族	100元	
Y21	聽心兒說話	100元	
Y22	美麗心世界	100元	
Y23	與人接觸	110元	
Y24	心的面貌	110元	
Y25	沈思靈想	100元	
Y26	尊重自己	100元	
Y27	寬恕樂陶陶	100元	
Y28	簡樸活得好	100元	
Y29	善待此一身	100元	
Y30	自在女人心	100元	
Y31	接納心歡喜	100元	
Y32	喜樂好心情	100元	
Y33	熊族寓言	140元	
Y34	擁抱情愛	140元	
Y35	樹香——人與自然的對話	140元	
Y36	舞蝶——人與自然的對話	140元	
Y37	享受寧靜——雅肯靜坐心理學	160元	
Y38	噗噗熊的無為自在	160元	
Y39	小小豬的謙弱哲學	200元	
Y40	噗噗熊的減肥秘笈	160元	
Y41	噗噗熊的逍遙遊	160元	
Y42	老灰驢的幽默自處	160元	
Y44	當下最美好	150元	
Y46	祝你聖誕快樂	180元	
Y47	祝你生日快樂	150元	
Y48	祝你天天快樂	150元	
Y49	給我親愛朋友	150元	
Y50	當所愛遠逝	150元	

Y51	讓憤怒野一回	150元	
Y52	給壓力一個出口	150元	
Y53	勇敢向前行	150元	
Y54	好好過日子	150元	
Y55	活出真性情	150元	
Y56	寶貝你的學生	150元	
Y57	給工作中的你	150元	
Y58	給我親愛家人	150元	
Y59	給獨一無二的你	150元	
Y60	記得照顧自己	150元	
Y61	祝你早日康復	150元	
Y62	親親我的寶貝	150元	
Y63	親親我的媽咪	150元	
Y64	阿保的童話（修訂版）	140元	
Y65	小鎮人家（修訂版）	140元	
Y66	十月的笛（修訂版）	140元	
Y67	森林小語（修訂版）	140元	
Y68	蘋果樹（修訂版）	140元	
Y69	森林的童話	160元	
Y70	會哭的男人很可愛	150元	
Y71	跟沮喪說 bye bye	150元	
Y72	葛葉的訊息	160元	
Y73	夏日的魔法	160元	
Y74	幸福的滋味	200元	
Y75	別讓自己白白受苦	150元	
Y76	平安在我心	150元	
Y77	時時心感恩	150元	
Y78	離開祕密花園	150元	
Y79	走進萬花筒	150元	
Y80	因為愛，我和你	180元	
Y81	因為愛，我和自己	180元	

智慧文選系列		定價	備註
X1	飛躍青春——邁向21世紀	50元	
X2	疼惜的心——做個有溫度的人	50元	
X3	生命視野——十個生涯故事	50元	
X4	飛躍青春——學習・成長・奉獻	50元	
X5	前瞻・創意・務實	50元	
X6	迎接人生挑戰・開創智慧新機	50元	
X7	尊重生命・關懷大地	50元	
X8	發揮生命潛能・開拓活動空間	50元	
X9	追求卓越・共創未來	50元	
X10	終身學習・持續成長・無私奉獻	50元	
X11	攜手同心建家園・超越精進跨世紀	50元	
X12	21世紀最炫的選擇	50元	
X13	圓一個E世紀的夢	50元	

五、有聲專輯（演講卡帶）

愛心與智慧系列		定價	主講者
F13	生命的微笑——禪與人生	180元	鄭石岩
F14	清心與隨緣——談如何活得更自在	180元	傅佩榮
F15	緣與命——談自我實現的人生	180元	黃光國
F16	擁抱生命——談快樂人生	180元	鄭武俊
F17	前世今生的對話	180元	林治平 楊惠南
F18	生命輪迴的奧祕	180元	高大恩 陳達誠
F19	不死的生命——我如何走上前世治療這條路	180元	陳勝英
F20	催眠與潛意識——從精神分析到前世催眠	180元	陳勝英

性・愛趨勢系列		定價	主講者
F21	21世紀性愛大趨勢——現代人必備的性知識	180元	馮榕等
F22	談心談性話愛情——夫妻必備的性知識	180元	簡春安
F23	單身貴族雙人床——未婚男女必備的性知識	180元	李 昂
F24	你儂我儂化作做愛——年輕人必備的性知識	180元	施寄青
F25	尊重愛性——談性教育的意義	180元	晏涵文
F26	身體情語——談兩性必備的性知識	180元	江漢聲
F27	性愛迷思——談如何跨越性障礙	180元	馮 榕
F28	永遠浪漫——談愛情的悲歡辯證	180元	曾昭旭
F29	情色對話——談女人的性愛發展史	180元	何春蕤
F30	兩性解析——談工業社會的婚姻	180元	邱 彰
F31	獻身神話——談「以身相許」的愛情迷思	180元	馬健君
F32	愛情私語——談女人的性覺醒	180元	李元貞
F33	婚姻終結——談旗鼓相當的婚姻伴侶	180元	施寄青
F34	男人的性革命——男人氣概的新定義	180元	余德慧
F35	女人的性革命——女性主義的性解放	180元	何春蕤
F36	君子好逑——談一場成功的戀愛	180元	曾昭旭
F37	自在女人心——單身女人也逍遙	180元	馬健君
F38	傾聽性語——性觀念與自我成長	180元	馮 榕 鄭玉英
F39	性愛風情——現代女性的性觀念	180元	汪漢聲 林蕙瑛

F40	性愛革命——當代女性與性治療	180元	文榮光 王瑞琪

世紀家變系列

	世紀家變系列	定價	主講者
F41	家在變動——重新認識我們的家	180元	吳就君
F42	家在求救——照亮家庭的黑暗角落	180元	陳若璋
F43	家會傷人——自我重生的新契機	180元	鄭玉英
F44	家有可為——幸福家庭與良好的溝通習慣	180元	柯永河

耕一畝溫柔的心田系列

	耕一畝溫柔的心田系列	定價	主講者
F51	點一盞溫柔的心燈	180元	曾昭旭
F52	給一份溫馨的祝福	180元	何進財
F53	換一劑溫柔的藥方	180元	鄭石岩
F54	給一世溫情的對待	180元	阮大年
F55	耕一畝溫柔的心田	180元	傅佩榮
F56	彈一曲和諧的樂音	180元	蔡培村

OK父母系列

	OK父母系列	定價	主講者
F61	做孩子的學習良伴	180元	小　野
F62	建立孩子正常的學習態度	180元	洪有義
F63	讓孩子成為學習贏家	180元	廖清碧

有聲閱讀系列

	有聲閱讀系列	定價	主講者
FA1	催眠之旅	150元	陳勝英
FA2	西藏生死書有聲書	450元	丁乃竺 孔維勤主述
FA3	時間管理贏家——有效的時間管理	250元	李鍾桂
FA4	快樂生活贏家——快樂生活之道	250元	鄭武俊
FA5	心靈真情書之真情念歌	250元	莊胡新浩
FA6	人際關係贏家——新人際關係論	250元	邱　彰
FA7	親子溝通贏家——如何做好親子溝通	250元	鍾思嘉
FA8	創造卓越的EQ——情緒管理與調適	250元	王浩威
FA9	閱讀的美好經驗——找回智慧的心	250元	詹宏志
FA10	生命觀照	250元	索甲仁波切
FA11	臨終關懷	250元	索甲仁波切
FA12	打開家庭祕密的黑盒子	250元	鄭玉英
FA13	如何激發孩子的潛能	250元	游乾桂

錄影帶系列

	錄影帶系列	定價	拍攝
VT1	西藏生死書49天生死之旅（上）	1600元	日本
	前往清淨的國度（下）		NHK

掌握生命契機・發揚生命光輝

	掌握生命契機・發揚生命光輝	定價	主講者
F101	彩繪生命的藍圖——談生涯規劃	180元	李鍾桂
F102	突破生命的限制——談自我成長與自我發展	180元	鄭武俊
F103	拓展生命的互動——談人際溝通	180元	洪有義
F104	迎接生命的戀曲——談兩性交往的藝術	180元	曾昭旭
F105	永結生命的情緣——談夫妻相處之道	180元	簡春安
F106	享受生命的親密——談成熟的性愛觀念	180元	洪小喬
F107	孕育生命的幼苗——談有效的親子溝通	180元	曾漢榮
F108	珍惜生命的時光——談有效的時間管理	180元	黃英忠
F109	發揮生命的潛能——談工作意義與工作適應	180元	莊聰正
F110	輕彈生命的旋律——談壓力管理	180元	藍三印
F111	共創生命的秩序——談民主社會的正確觀念	180元	林洋港

把心找回來系列

	把心找回來系列	定價	主講者
F112	找回喜悅的心——快樂簡樸的祕訣	180元	周神助
F113	找回簡樸的心——單純簡樸的喜樂	180元	鄭石岩
F114	找回自然的心——社區與學校的自然觀察	180元	劉克襄
F115	找回自省的心——與心對話	180元	龔鵬程
F116	找回坦誠的心——坦誠少欲心自清	180元	李鍾桂
F117	找回平凡的心——平凡中創意無限	180元	吳伯雄
F118	找回快樂的心——留個位子給快樂	180元	陳月霞 陳玉峰
F119	找回美感的心——琉璃美術裡的人生	180元	張　毅
F120	找回真實的心——從禪定修持中找回真實心	180元	心定法師
F121	找回智慧的心——讀書的心與方向	180元	詹宏志
F122	找回無欲的心——人到無求品自高	180元	曾昭旭
F123	找回成長的心——生命處處是綠洲	180元	陶曉清
F124	找回領悟的心——覺醒的智慧	180元	陳履安
F125	找回珍惜的心——運用時間的藝術	180元	柴松林
F126	找回清貧的心——生活簡單・生命自然	180元	鄧志浩
F127	找回舞動的心——生命故事・心靈之舞	180元	林秀偉

・此書目之定價若有錯誤，應以版權頁之價格為準。
・讀者服務專線：（02）2930-0620　傳真：（02）2930-0627

國家圖書館出版品預行編目資料

結婚前，結婚後：成長與改變／任兆璋著 －－初版.
－－臺北市：張老師，2002〔民91〕
面；　公分. －－（愛・性・婚姻系列；41）

ISBN　957-693-498-2（平裝）

1.婚姻 2.兩性關係

544.3　　　90016203

愛·性·婚姻系列 41

結婚前，結婚後——成長與改變

作　　者→任兆璋

責任編輯→苗天蕙．林右仟

封面設計→莊士展

發 行 人→李鍾桂

總 經 理→金克剛

出 版 者→張老師文化事業股份有限公司 Living Psychology Publishers
郵撥帳號：18395080
10647台北市大安區羅斯福路三段325號地下一樓
電話：(02)2369-7959　傳真：(02)2363-7110
E-mail：service@lppc.com.tw
讀者服務：23141台北縣新店市中正路538巷5號2樓
電話：(02)2218-8811　傳真：(02)2218-0805
E-mail：sales@lppc.com.tw
網址：http://www.lppc.com.tw（讀家心聞）

登 記 證→局版北市業字第1514號

初版1刷→2002年3月

初版8刷→2008年4月

ISBN　957-693-498-2

定　　價→**220元**

法律顧問→林廷隆律師

排　　版→帛格有限公司

印　　製→日盛印製廠股份有限公司